Ymlaen â'r Gân

Gwenda Owen

GOMER

Argraffiad cyntaf – 2003

ISBN 1 84323 322 3

Dymuna'r cyhoeddwyr gydnabod cymorth
Cyngor Llyfrau Cymru.

Argraffwyd yng Nghymru gan
Wasg Gomer, Llandysul, Ceredigion

I
Mam a Dad,
gyda diolch.

DIOLCHIADAU

Mae ysgrifennu'r llyfr hwn wedi bod yn brofiad ac yn antur! Diolch yn y lle cyntaf i Wasg Gomer am y gwahoddiad i'w ysgrifennu ac am eu cymorth cyson wrth baratoi'r gwaith, ac i Bethan Mair am ei gwaith a'i gofal hi wrth olygu.

Diolch i Dad a Mam am eu gofal a'u cariad diogel ar hyd y blynyddoedd. Wrth i mi baratoi'r gyfrol roedden nhw tu ôl i mi gant y gant yn ôl eu harfer. Mae'n hyfryd hefyd i gael cydnabod fy niolch i 'nheulu ac i ffrindiau am eu cymorth a'u hawgrymiadau gwerthfawr. Rwyf wedi pwyso'n drwm ar eu hamser a'u cymwynasgarwch wrth baratoi'r gwaith. Diolch i Emlyn; heb ei gefnogaeth a'i gymorth ef fyddai'r llyfr ddim wedi gweld golau dydd, a diolch i'r plant am eu hamynedd a'u cydweithrediad, ac am ganiatáu i mi ddiflannu am oriau er mwyn eistedd o flaen y cyfrifiadur yn teipio.

Diolch i 'nghefnogwyr dros y blynyddoedd – maen nhw wedi rhoi cyfle i mi ganu fy nghân a mwynhau. Ac yn olaf, diolch i Dr Theo Joannides a'i dîm yn Abertawe ac i Mr Simon Holt a'i dîm yn Llanelli am roi ail gyfle i mi!

GWENDA

DECHRAU'R DAITH

Rai blynyddoedd yn ôl fe ges i wahoddiad gan gwmni teledu i ddod i Glwb y Gwernllwyn, Cross Hands, er mwyn recordio rhaglen ar gyfer S4C. Emyr Wyn oedd yn cyflwyno, a phan ddaeth yn amser iddo fy nghyflwyno i, fe ddywedodd e rywbeth fel hyn: 'Pe bydde Gwenda Owen yn stic o roc a'ch bod chi'n gallu cael gafal arni a'i thorri yn hanner, "Cwm Gwendraeth" fydde wedi'i ysgrifennu drwy ei chanol hi.' Rwy'n meddwl ei fod wedi dod yn weddol agos at daro'r hoelen ar ei phen. Fe ges fy nghyflwyno fel merch y filltir sgwâr cyn hynny a wedyn, a fyddwn i ddim yn dadlau yn erbyn hynny. Mae'n ddisgrifiad teg.

Mae Cwm Gwendraeth yn gorwedd yng nghysgod y Mynydd Mawr draw ar ochr ddwyreiniol Sir Gâr. Pe byddech yn teithio ar yr A476 o Lanelli i Landeilo, byddech yn dala pen uchaf y cwm yng Nghross Hands wrth i afon Gwendraeth Fawr ddechrau ar ei thaith cyn cwrdd â'r môr lawr ar waelod y cwm yng Nghydweli. Pe byddech yn teithio ar yr A484 o Lanelli i Gaerfyrddin ar hyd hewl yr arfordir, byddech yn dala gwaelod y cwm wrth iddo agor mas yng

Nghydweli. Fan hyn mae afon Gwendraeth Fach yn ymuno â'r Gwendraeth Fawr, hithau yr un modd wedi ymlwybro i lawr drwy gwm Gwendraeth Fach ar ei thaith tua'r môr.

Ond, pe byddech chi'n teithio o Lanelli i Gaerfyrddin ar yr hen hewl, sef y B4306, byddech yn dala canol y cwm wrth i chi deithio drwy bentref Pontyberem. Ac yno, ar Orffennaf 16, 1965, cefais i fy ngeni – yn agos at wyth pownd ohono' i – yn drydedd ferch i David Owen a Nancy Margretta Harries. Bydd pobl Cwm Gwendraeth yn eu nabod fel Dow a Nancy. Dow yw Dad i bawb sy'n ei nabod e, enw gafodd e ar ddamwain gan Joyce ei chwaer. Roedd hithau, yn un fach, yn ffaelu dweud David Owen – Dow oedd yn dod mas bob tro – a Dow fuodd e i bawb ers hynny.

Wrth i fi drio rhannu fy mhlentyndod gyda chi, mae'n rhaid i chi ganiatáu i mi beintio darlun. Darlun yw e o Gwm Gwendraeth y chwe degau a'r saith degau, bwrlwm o fywyd cymdeithasol a diwylliannol mewn cwm Cymreig oedd yn lofaol ac yn amaethyddol ei natur a'i bobl. Cwm hefyd lle roedd technoleg gyfoes yn weddol ddiarth. Roedd bywyd yn syml a chetyn yn fwy hamddenol y pryd hynny, ac amaethyddiaeth a ffermio oedd yn lliwio fy mhlentyndod i.

Fe ddylwn eich cyflwyno chi i'm dwy chwaer hŷn, sef Deris, sy saith mlynedd yn hŷn na mi, a Linda sy ddwy flynedd yn hŷn. Roedden ni i gyd yn byw ar

Fferm Capel Ifan ac yn ffarmio rhyw gant o erwau bryd hynny. Pe bydde'n bosibl dod o hyd i ganol daearyddol yr hen gwm yma, rwy'n meddwl y bydde Capel Ifan yn weddol agos ati.

Ar gyrion Pontyberem mae'r fferm. Mae'n lle pert, y clos yn cwrdd â'r hewl a'r adeiladau mas wedi eu gwyngalchu i gyd. Mae'n llecyn hyfryd – rwy'n edrych mas drwy'r ffenest wrth i mi ysgrifennu ac mae'r olygfa'n fendigedig: Pontyberem oddi tanom ni a'r cwm yn ymestyn draw, lan at Lyn Llech Owain, a rhyw led tri chae bant mae tŵr eglwys Capel Ifan yn sefyll yn hardd ac yn urddasol. Mae'n eglwys hynafol: mae cofnod i Howell Harries, y diwygiwr, ymweld â'r eglwys a chael cyfle i wrando ar William Williams Pantycelyn yn pregethu yno. Yn y fynwent dawel yno hefyd mae rhai o hen ffermwyr Capel Ifan yn gorwedd.

Rydym wedi ein hamgylchynu gan hanes mewn gwirionedd. Mae sôn fod hanes Fferm Capel Ifan yn mynd yn ôl ymhell dros bedair canrif. Cafodd ysgol ei chynnal yma ar ryw adeg ond erbyn dyddie bwrlwm y pyllau glo, fferm gwaith glo Pentre Mawr oedd hi. Mae'n debyg taw yma y bydden nhw'n cadw'r ceffylau fydde'n gweithio o dan ddaear. Bydde'r glowyr ar eu ffordd i'r gwaith yn arfer gadael eu beiciau yma cyn cerdded i lawr at y gwaith gyda'r ceffylau. Y ceffylau druain oedd yn cael y gwaith o dynnu'r dramiau a fydde'n cario'r glo. Hyd heddi mae llawr y beudy'n llawn o deils bach sgwâr, ar gyfer y ceffylau. Ddwy waith yn barod eleni, wrth weithio mewn gwahanol fannau o gwmpas y fferm, daeth hen bedolau i'r golwg. Mae Dad yn dweud ei bod hi'n amhosibl gwneud unrhyw waith yma heb fod 'na hen bedol yn gweld golau dydd am y tro cyntaf mewn blynyddoedd, mewn canrifoedd 'falle.

Priodas Mam a Dad.

Ac i'r fan hyn y daeth Dad a Mam ar ôl priodi, i ffermio'r tir a chodi teulu. Roedden nhw wedi cwrdd â'i gilydd am y tro cyntaf o dan amgylchiade annisgwyl iawn! Wrth i Mam deithio'n ôl ar y bws o Gaerfyrddin i Langyndeyrn rhyw ddiwrnod, daeth dyn meddw ar y bws, dyn mawr, swnllyd oedd e, ac yn gweiddi dros bob man. Fe redodd Mam i gefen y bws a neidio ar gôl fy nhad, a dyna ddechrau'r garwriaeth a arweiniodd at ddiwrnod eu priodas ar Awst 13, 1957, yn eglwys Llangyndeyrn. Roedd y briodas yn y bore, ac erbyn amser cinio roedden nhw yn Aberystwyth ar eu mis mêl.

Mae gan Dad wallt gwallt golau a llygaid glas. Ar ôl iddo adael yr ysgol fe aeth i weithio gyda'i dad-cu oedd yn cadw busnes trefnwyr angladdau ym Mhontyberem, ac yno fe ddysgodd grefft saer coed, crefft a ddaeth yn ddefnyddiol iddo yn ddiweddarach wrth ffermio Capel Ifan. Mae Dad, fel pob crefftwr, yn gallu troi ei law at unrhyw beth. Fel yna roedd e gyda'r creaduriaid ar y fferm – os oedd e'n gallu eu gwella ei hunan, bydde fe'n gwneud hynny cyn galw'r fet. Mae hynny'n crynhoi athroniaeth ei fywyd e mewn ffordd; bydd e wastad yn dweud, 'Os oes rhywbeth angen ei wneud arnat ti, tria'i wneud e dy hunan gynta, a gofyn am gymorth pan wyt ti'n ffaelu'. Dyn addfwyn a thyner yw Dad a gweithiwr caled. Yn swyddogol, mae e wedi ymddeol ond mae e'r un mor fishi nawr ag a fuodd e erioed.

Mam a Dad ym mhriodas Anti Joyce ac Wncwl Derrick.

Un fach yw Mam yn gorfforol, ond mae ganddi gymeriad mawr. Mae'n berson arbennig iawn. Un dawel yw hi'n naturiol ond wrth ei bodd yn tynnu coes ac yn cael sbri. Sdim byd yn ormod o drafferth i Mam: os bydd hi'n gallu ei wneud e fe wnaiff hi fe'n syth. Dyw hi byth yn llonydd, fel *whippet* o gwmpas y lle.

Tenantiaid Capel Ifan oedd Mam a Dad, yn rhentu'r ffarm oddi wrth y Bwrdd Glo er mwyn gwneud bywoliaeth. Fe fyddwn ni'n dweud yn aml yng Nghwm Gwendraeth, wrth gyfeirio at ambell un,

'Sdim ofon gwaith arno fe, neu hi'. Wel, mae hynny'n bendant yn wir am Dad a Mam. Roedden nhw'n fishi bob amser ar y fferm, y ddau ohonyn nhw, wedi ffarmio yma am dros ddeugain mlynedd. Fe roeson nhw eu bywyd i'r fferm ac yn amlach na pheidio bydde'r ddau'n gweithio gyda'i gilydd yn hapus eu byd. Roedd y fferm yn rhoi bywoliaeth iddyn nhw, mae hynny'n wir, ond roedd e'n fwy na hynny hefyd, roedd e'n ffordd o fyw.

Dyna fel rwy'n eu cofio nhw erioed, y ddau ohonyn nhw'n cydweithio'n dawel ac yn hapus, y ddau bob amser gyda'i gilydd, ac un yn helpu'r llall. Pan fydde Dadi'n mynd lawr i'r caeau i lenwi rhyw fwlch yn y clawdd, dyna lle bydde Mami'n dal y staple iddo fe. Pan fydde Mami'n rhoi'r dillad mas ar y lein i sychu, bydde Dadi gyda hi'n cario'r pegs. A fel'na maen nhw hyd heddi. Y ddau'n byw i'w gilydd a'r naill yn deall y llall. Mae'r lle 'ma'n dala shwd gymaint o atgofion melys a gwerthfawr ac fe fydda i'n diolch yn aml am y fraint o gael byw fy mywyd ar yr aelwyd lle cefais fagwraeth ddiogel a chynnes.

Roedd cael fy magu ar fferm yn brofiad hapus. Roedd digon o le i chwarae a digon o le i gwato hefyd. Gan fod Mam yn helpu Dad gymaint o gwmpas y fferm – mas bob bore a nos yn helpu godro, a rhyw waith yn galw am sylw mas ar y caeau byth a hefyd – Deris, fy chwaer hynaf, fydde'n gofalu amdana i a Linda, fy chwaer. A hi oedd y bòs hefyd, fel pob chwaer fawr, ond fod gan Deris y fantais

ychwanegol ei bod hi gymaint â hynny'n hŷn na
Linda a fi. A dweud y gwir, mae hi'n dal i drio gofalu
amdanaf yn ei ffordd fach ei hun! Fi oedd y chwaer
fach a fi fydd 'bach y nyth' hyd y diwedd.

Linda, Deris a fi, 1967.

Rwy'n siŵr fy mod i wedi bod yn un eitha rhwydd
i edrych ar ei hôl. Mae Mam yn dweud wrtha i mai un
fach dawel o'n i ond yn fishi – bishi tawel yw
disgrifiad Mam. Gwen maen nhw'n fy ngalw i gartre.
Rwy'n cofio un tro roedd buwch o'r enw Gwen gyda
ni. Buwch wen oedd hi, dyna sut gafodd hi'r enw.
Beth bynnag, rhyw ddiwrnod roedd Dad mas yn galw
ar y fuwch, 'Gwen, Gwen, dere gel'. Wel fe glywais i
Dad yn galw, a bant â fi'n syth ato fe i weld beth oedd

16

e moyn. Rwy'n cofio hyd heddiw gweld Dad yn chwerthin yn uchel ac yn trio esbonio taw galw'r fuwch oedd e, nage galw fi!

Mae 'na stori am athrawes a glywodd sgwrs rhwng dau blentyn ar iard yr ysgol. Roedden nhw'n conan 'da'i gilydd am eu rhieni. 'Jiw, ie,' medde un wrth y llall, 'maen nhw'n treulio'r holl amser 'na'n ein dysgu ni i siarad, a wedyn i gerdded, a chyn i ti droi rownd, 'na i gyd ti'n cael yw, "eistedd lawr a chau dy ben"!' Wel nage fel'na oedd hi yn ein tŷ ni. I'r gwrthwyneb, roedd y fagwraeth a gawsom yn syml iawn. Dim ffws am ddim byd. Roedd yn fagwraeth glòs iawn ac fe gawsom ein magu i rannu pob peth yn agored gyda'n gilydd fel teulu.

Fi yn fy elfen, ar ben y tractor gyda Dad.

17

Mam-gu a Tad-cu o flaen y tân yn Nhynycwm.

Ffordd o fyw oedd ffermio a'r ffarm i ni i gyd, a
fel'na buodd hi am genedlaethau o'n blaen ni. Roedd
Mam-gu a Tad-cu ar ochr fy nhad, sef William Joseff
ac Elen Harries, neu Mam-gu a Tad-cu Tynycwm fel
o'n i'n eu galw nhw, yn ffermio Fferm Tynycwm Isaf
ar lethrau Mynydd Sylen ym Mhontyberem. Mae'n
fferm gyfagos: bydden ni'n gallu gweld Tynycwm yn
glir iawn o Gapel Ifan. Lled tri chae oedd rhyngddon
ni ac mae gennyf gof o gerdded yn groten fach drwy'r
caeau a'r nant fach oedd ar y gwaelod cyn dechrau
dringo'r caeau lan at Dynycwm. Mae'r atgofion sydd
gen i o Mam-gu a Tad-cu yn felys ac yn hapus,
roedden nhw'n bâr doniol iawn ac yn llawn hwyl o
hyd, un yn tynnu coes y llall drwy'r amser.

Roedd Tad-cu yn dyner ac annwyl iawn ac yn
deimladwy tu hwnt. Fe fydde fe'n aml yn gofyn i ni

ganu iddo fe, ac rwy'n gallu ei weld e nawr, a'r dagre'n llifo i lawr ei fochau ac ynte'n sychu'r dagre oddi ar ei wyneb. Dyn fel'na oedd e, tyner ac addfwyn iawn. Roedd ganddo fe lygaid glas golau hyfryd: maen nhw'n dweud fod gan Paul Newman lygaid glas disglair; wel, 'sa i wedi gweld neb â llygaid fel Tad-cu, gan gynnwys Paul Newman. Roedden nhw'n las fel y môr. Roedd e'n weithiwr caled drwy ei oes. Roedd yn helpu gyda busnes ei dad, fy hen dad-cu, Owen George Harries, oedd yn saer coed ac yn drefnwr angladdau ym Mhontyberem. Mae hanes yn ei ailadrodd ei hunan, medden nhw, ac mae'n bendant yn wir yn hanes y busnes yma. Mae'r busnes a'r siop yn dal i fynd hyd heddiw ym Mhontyberem, a fy nai, Hefin, crwt Deris, sy'n ei redeg erbyn hyn. Mae fy nhad wrth ei fodd yn helpu, fel ei dad yntau o'i flaen. Fel y bu i ran fwyaf o ddynion y cwm, aeth Tad-cu i weithio yn y gwaith glo a chadw gwartheg godro ar fferm Tynycwm. Mae'n arferiad yn y rhan hon o'r byd i roi llysenwau i bawb a bydde rhai yn ei alw fe yn Harries yr Wyau, gan ei fod hefyd yn gwerthu wyau o gwmpas y pentref.

Busnes O. G. Harries, Pontyberem.

Bydde Tad-cu yn hoff iawn o'i fwyd. Llond plat iawn o facwn ac wy fydde ei frecwast bob bore, ac yn aml byddem yn ei weld yn bwyta bara te. Basned fawr o fara, te a menyn – roedd y basned yn sêr i gyd gyda'r holl fenyn. Roedd yn hoff iawn o'i gartref ac roedd y ddau ohonyn nhw, Mam-gu a Tad-cu, yn deall ei gilydd i'r dim. Bydde fe wrth ei fodd yn cael sgwrs, ac ar nos Wener bydde fe bant am beint a chlonc gyda'i ffrindiau. Dyn smart oedd e; wy'n ei weld e nawr, cap ar ei ben bob dydd, doedd dim byd yn ormod iddo.

Roedd yn hoff iawn o hanes, ac yn aml bydde'n adrodd hanes y teulu i mi, dweud wrtha i pwy oedd yn perthyn i bwy, a sut. Rwy'n teimlo trueni nad oeddwn ychydig yn hŷn; fe fyddwn i wedi gallu holi rhagor arno fe am gefndir y teulu a'r ardal. Roedd yn stôr o wybodaeth ac fe fydde'n aml yn adrodd hen benillion i mi. Roedd yn dwlu ar anifeiliaid y fferm ac roedd ganddyn nhw geffyl brown o'r enw Tim. Roedd e wedi dysgu pob math o drics i'r hen geffyl 'na. Bydde'n aml yn plygu i lawr o flaen Tim ac yn dweud wrtho fe, 'Tynna 'nghap i bant, *come on'*, a dyna lle bydde Tim yn tynnu'i gap e bant a Tad-cu'n chwerthin nerth ei ben. Dim ond i Tad-cu ddweud wrth Tim, 'Crafa nghefen i, Tim', a throi ei gefen ato, dyna lle bydde Tim yn crafu ei gefen e fflat owt! Un diwrnod roedd drws cefn y tŷ ar agor, a phan ddaeth Mam-gu lawr o'r llofft roedd Tim yn y pantri wedi helpu ei hunan i ddwy darten fale oedd yn eistedd ar ben y cwpwrdd, a Mam-gu newydd eu gwneud y bore hwnnw!

Tim yn codi cap Tad-cu Tynycwm.

Roedd Mam-gu yn annwyl tu hwnt hefyd. Mae gan
y Saeson idiom, 'they call a spade a spade' i
ddisgrifio math arbennig o bobl, wel dyna Mam-gu i
chi, rhywun diflewyn-ar-dafod, yn dweud yn syth
beth oedd ar ei meddwl. Roedd hi'n codi'n fore iawn,
a tra bydde Tad-cu'n gweithio o dan ddaear bydde
hi'n godro â llaw ac yn gwneud y gwaith fferm; roedd
hi'n llawn egni, fel botwm.

Roedd hi'n glanhau bob dydd a'i dillad wedi eu
golchi'n wyn fel yr eira. Bob bore bydde'n golchi
llawr y gegin gyda barryn o sebon gwyrdd a
phwcedaid o ddŵr berw. Roedd yr hen deils coch ar y

llawr yn disgleirio nes eich bod yn gallu gweld eich wyneb ynddyn nhw. Roedd hi'n un o wyth o blant ac wedi hen arfer â gweithio'n galed. Priododd â Tad-cu yn ifanc iawn – pan oedd y ddau ohonyn nhw'n 18 mlwydd oed – a chawson nhw ddau o blant, sef Dad,

Mam-gu a Tad-cu – a'r ddau hen dad-cu – ar ddydd eu priodas, Chwefror 11, 1933.

Dad a'i chwaer, Anti Joyce, yn Nhynycwm.

David Owen, a'i chwaer, Joyce. Byddwn i'n mynd i aros gyda nhw bob haf. Un tro, pan oedd Tad-cu'n cael llawdriniaeth yn yr ysbyty, roedd Linda a minnau'n cysgu draw gyda Mam-gu. Roedden ni'n cael cysgu gyda'n gilydd yng ngwely Mam-gu a Tad-cu. Wel, ar ôl cyrraedd y gwely doedd Linda na fi ddim yn gallu cysgu ac fe es i'n dawel i guddio ar sil ffenest y *landing* a chau'r cyrtens yn dawel bach fel bod Mam-gu'n methu â ngweld i. Pan ddaeth hi lan i dop y staer i fynd i'r gwely, dyma fi'n agor y cyrtens ac yn gweiddi 'Oi' arni hi. Os do fe, fe gafodd hi ofon rhyfedd ac rwy'n ei chlywed hi nawr yn dweud, 'Beth sy'n bod arnoch chi blant? Cerwch i'r gwely 'na'n glou!' Feddylies i ddim byd ar y pryd am roi ofon i

23

Mam-gu; roedd e'n ormod o hwyl, ond wrth edrych yn ôl rwy'n deall ei hofn. Roedd fferm Tynycwm rhyw ddwy filltir o'r hewl fawr ac mewn safle unig iawn. Ond roedd yr olygfa'n fendigedig wrth i chi edrych i lawr ar Bontyberem a draw at Fancffosfelen – ac wrth gwrs roedd hi'n bosib gweld Capel Ifan hefyd.

Roedd hi yn dipyn o ges, Mam-gu. Yn flynyddol ar Ebrill y cyntaf bydde'n gwneud ei gorau i'n dala ni mas drwy chwarae ffŵl Ebrill arnon ni. Rwy'n ei chofio hi'n ffonio draw yn y bore ac yn dweud ei bod wedi colli ei watsh ac yn gofyn a fydden ni'n fodlon edrych o dan y gader i weld oedd hi yno gan ei bod wedi bod yn eistedd yno y diwrnod cynt pan ddaeth hi draw. Dyna ni wedyn fel ffyliaid yn mynd i whilo fflat owt o dan y gader a rowndabowt i gyd ond yn methu â gweld y watsh. Yn ôl â ni at y ffôn wedyn, mewn pryd i glywed Mam-gu'n gweiddi,

'Ffŵl Ebrill, ha ha ha!'

Un fel'na oedd Mam-gu. Rwy'n cofio chwarae cardiau gyda hi. Byddwn i wastad yn ennill gan mod i'n dweud wrthi i ddal y cardie lan yn uchel. Heb yn wybod iddi hi byddwn i'n gallu gweld ei chardiau hi i gyd drwy adlewyrchiad ei sbectol. Roedd ganddi ofon ofnadwy o dyrfe, neu daranau, a phan fydde hi'n taranu'n drwm fe wyddech chi'n iawn ble i ddod o hyd iddi hi. Bydde hi'n cwato yn y cwtsh dan stâr gan fod gymaint o ofn arni. Rwy'n ei chofio hi wedyn yn darganfod *tea bags* am y tro cyntaf, a chi'n gwybod beth fydde hi'n wneud? Tynnu'r te mas o'r cwdyn a'i roi trwy'r streinyr yn ôl ei harfer!

Cyn cyrraedd clos y fferm roedd yna bownd mawr o ddŵr, ac rwy'n clywed Mam-gu nawr yn dweud wrtha i, 'Paid ti â mynd yn agos i'r pownd dŵr 'na!'

Pan oedden ni draw yno ryw ddiwrnod o haf, roedd fy nghefnder a 'nghneither, Graham a Susan, plant Joyce, yn Nhynycwm hefyd. Roedden ni i gyd yn begian ar Tad-cu i wneud cwch bach i ni er mwyn i ni gael mynd ar y pownd. Fe benderfynodd Tad-cu fynd â hen gafan ddŵr y da ar y llyn. Fe roddodd e raff yn sownd i'r gafan a dweud wrthon ni am dynnu wrth y rhaff tra ei fod e'n eistedd yn y gafan. Dyna oedd sbort, ond roedd 'na dwll yn y gafan ac fe lanwodd â dŵr, a moelodd Tad-cu a'r gafan. I mewn â fe ar ei ben i'r pownd, a dyna lle roedden ni i gyd yn chwerthin ar ei ben! Roedd e'n wlyb o'i ben i'w sawdl a Mam-gu'n gweiddi, 'Beth ti'n neud, yr hen dwpsyn?' a hithau hefyd yn chwerthin fflat owt.

Os oedd lleoliad daearyddol Tynycwm yn unig, nid felly roedd hi yn y tŷ. Roedd rhywun yno drwy'r amser gyda llond y lle o berthnasau neu ffrindiau'n galw heibio; roedd y tŷ'n llawn hwyl. Ta pwy fydde'n galw, bydde ymateb Mam-gu yr un peth bob tro, 'Dere miwn i gael *chat* fach'.

Rwy'n cofio hefyd bydde hi bob amser yn gwisgo lot o ddillad. Pan wy'n dweud lot o ddillad wy'n ei feddwl e: dwy fest, tair paish, ffroc a dwy gardigan fawr a thri phâr o sane am ei thraed. Bydde hi'n dweud yn aml, 'O, mae'n ddigon oer i rewi brân!' A dyna lle bydde hi'n eistedd o flaen tân agored mawr â'i lawn e o bele mond. Byddem yn treulio oriau o flaen y tân yna'n cael clonc dda, a bydden ni'n fochau coch i gyd gyda gwres y tân. Roedden ni'n cael pop *Dandelion a Burdock* yno o hyd neu *Limeade*. Bob tro gaf i lased *o Dandelion a Burdock* mae'n mynd â fi 'nôl yn syth i Dynycwm at Mam-gu a Tad-cu.

Pan oedden nhw wrthi'n godro ryw noson, fe welodd Tad-cu botel o bop ar sil ffenest y beudy ac fe agorodd y botel a dechrau ei hyfed, gan feddwl mai *Limeade* oedd ynddo. Ond fe gafodd sioc; ar ôl yfed ychydig ohono fe sylweddolodd mai *parazone* oedd yn y botel – Mam-gu wedi ei rhoi yno er mwyn golchi bwcedi a llawr y beudy. Bu'n rhaid iddo fe fynd i lawr yn syth i'r ysbyty er mwyn cael golchi ei stumog. Roedden nhw'n gwneud yr ardd bob blwyddyn, a rhyw noson wrth iddyn nhw odro fe fyton ni pob pysen oedd yn yr ardd!

Bydde popeth yn stopio am bedwar o'r gloch ar bnawn dydd Sadwrn yn Nhynycwm ar gyfer y reslo. Roedd y ddau ohonyn nhw'n ffans mawr i Giant Haystacks, Big Daddy a Mick McManus. Wel, fe fydde'r ddau ohonyn nhw'n gweiddi 'Come on! Come on!' a helpu'r reffarî i gyfri un, dau, tri.

Ar ôl i'r ddau ymddeol fe symudon nhw i fyw i Heol Capel Ifan, i dŷ ychydig i lawr yr hewl o'n fferm ni. Bob dydd bydde Tad-cu'n cerdded lan yr hewl gyda'i sbienddrych ac yn edrych draw ar Dynycwm.

Roedd ei galon e yno o hyd. Roedd e wedi cadw rhyw ddeng erw o dir ym Mhont-henri ac roedd yn dal i gadw ychydig o wartheg ar y tir yna. Bydde'n arfer mynd draw bob dydd ar ei dractor i weld y gwartheg. Roedd e'n hapus gyda'r gwartheg.

Un diwrnod fe aeth yn ôl ei arfer i weld y gwartheg ar ei dractor, a codi llaw ar Mam a Dad wrth basio ar y ffordd draw, ond ddaeth e byth yn ôl. Fe fuodd farw ar ben y tractor a'i gap ar ei ben. Roedd wedi ymladd am ei anadl ers blynyddoedd – roedd llwch y glo wedi gadael ei ôl ar Dad-cu – a ninnau nawr fel llawer o deuluoedd eraill yn y cwm yn talu pris y glo. Ar y diwrnod du hwnnw fe gollais nid yn unig dad-cu, ond ffrind annwyl a ffyddlon. Rwy'n cofio galw i weld Mam-gu a hithau'n

Tad-cu Tynycwm ar ben y tractor, gyda Mam-gu.

eistedd o flaen y tân. Dyma hi'n dweud, 'Mae e wedi mynd 'ten.' Fuodd hi byth yr un peth.

Bues i'n lwcus o fam-gu a thad-cu y ddwy ochr. Mam-gu ochr Mam oedd yn gyfrifol am fy enwi; 'sa i'n gwybod pam, ond roedd hi'n hoff iawn o'r enw Gwenda. Mae fy enw canol hefyd yn dod oddi wrthyn nhw: gan mai Davies oedd fy mam cyn priodi, fe gefais i a'r ddwy chwaer Davies yn enw canol.

David ac Agnes Davies oedd eu henwau nhw. Roedden nhw'n dod yn enedigol o bentre bach Llanfynydd yn Sir Gâr ac yn ffermio fferm y Coynant yn Llanfynydd. Roedd eu gwreiddiau'n ddwfn yn y pentref a'i hanes, a Mam-gu yn un o ferched tafarn Penybont yng nghanol y pentref.

Pan oedd Mam yn dair ar ddeg fe symudodd y teulu i ffermio fferm Alltycadno yn Llangyndeyrn yng nghwm Gwendraeth Fach, gan fod eisiau fferm fwy arnyn nhw; erbyn hyn roedd ganddyn nhw bedwar o blant. Mae gen i gof o Tad-cu'n dweud yn aml wrth gofio yn ôl at gyfnod y symud, 'Wy'n cofio cerdded y da i gyd o Lanfynydd i Langyndeyrn'. Mae'n rhaid fod honno wedi bod yn daith aruthrol – rhyw ddeuddeg milltir a mwy, siŵr o fod!

Roedd Alltycadno'n fferm lawer mwy ac roedd ansawdd y tir yn arbennig o dda. Mae'n gorwedd yng nghanol cwm Gwendraeth Fach ar gyrion pentref Llangyndeyrn ar y ffordd mas i Bontantwn. Roedd y plant i gyd yn gweithio ar y fferm, mam a'i chwaer Anti Dilys, a'u brodyr Wncwl Eirwyn ac Wncwl John.

Mam-gu a Tad-cu Alltycadno.

Roedd Mam-gu a Tad-cu'n bâr hapus iawn a'r Tad-cu
hwn hefyd yn hoff iawn o dynnu coes. Rwy'n ei gofio
fe'n dod draw unwaith a minne mas ar fy meic. Fe
ddaeth lan y tu ôl i mi a rhoi hwp iawn i fi lawr am
waelod y clos. Doedd e ddim i wybod nad oedd brêcs i
gael ar y beic a dyma fi'n mynd yn syth i mewn i'r
clawdd ac i ganol y drain i gyd. Naw o fysedd oedd
ganddo gan iddo golli un bys wrth lifio coed rhywdro.
Roedd yn ddyn gwyllt iawn ac fe fydda i'n chwerthin
yn aml wrth gofio'n ôl am ei antics. Roedd yn gryf
iawn ac rwy'n ei gofio fe'n chwibanu drwy'r amser a
bwyta *polo mints* yn barhaol. Roedd ganddo lond pen
o wallt ond wastad yn gwisgo het am ei ben.

Roedd Mam-gu'n debyg iawn i Mam, yn ffeind ac addfwyn, ac wedi gweithio'n galed iawn erioed. Rwy'n cofio galw yn Alltycadno a dyna lle roedd Mam-gu mas yn torri coed tân. Cofio hi hefyd yn llosgi wrth gyffwrdd â sosban oedd yn berwi ar y tân ac yn rhedeg i nôl menyn i'w rwto i mewn i'r croen lle losgodd e. Roedd hi'n hoff iawn o ganu. Roedd yn aml iawn yn canu i mi, ac mae'n eitha tebyg mai hi fuodd yn bennaf cyfrifol am ddeffro ynof fi ddiddordeb mewn canu.

Mam a'i chwaer, Dilys, a'i dau frawd, Eirwyn a John.

Buodd Tad-cu farw'n sydyn iawn un bore yn ei wely, ac fe fwrodd hynny Mam-gu'n galed iawn. Fe ddaeth draw i fyw gyda ni wedyn, oherwydd iddi hi fynd yn anghofus iawn. Hen afiechyd creulon yw Alzheimer's. Erbyn y diwedd doedd hi ddim yn cofio braidd dim, ond bydde hynny o gof oedd gyda hi'n mynd â hi 'nôl i ddyddiau ei phlentyndod yn Llanfynydd. Rwy'n cofio Mam yn ei rhoi hi i'r gwely rhyw noson a hithe'n dweud wrth Mam, 'Ych chi ddim yn nabod fi, wy'n dod o Penybont, Llanfynydd, ac rwy am fynd 'nôl 'na'.

Fe dorrodd ei chalon ar ôl colli Tad-cu, a dim ond

30

Mam-gu a Tad-cu Alltycadno.

rhyw chwe mis aeth heibio cyn iddi hithau farw yma gyda ni yng Nghapel Ifan. Rwy'n ei gofio fe fel ddoe: roedd Eisteddfod yr Ysgol ymlaen gyda ni ar y pryd a finne'n meddwl na fyddwn i byth yn gallu canu y diwrnod hwnnw, ond roeddwn i'n gwybod y bydde Mam-gu'n moyn i fi ganu, gan ei bod hithe'n dwlu gymaint ar ganu ei hunan.

Wel, 'ych chi wedi deall erbyn hyn nid yn unig ein bod yn deulu mawr ond yn deulu agos iawn hefyd. Mae gen i lawer o gefndryd, ac r'yn ni i gyd yn debyg mewn rhyw ffordd neu'i gilydd. Mae treigl y blynyddoedd a phwyse gwaith a phrysurdeb bywyd wedi golygu nad 'yn ni'n gweld ein gilydd mor aml y dyddie hyn, ond o bryd i'w gilydd, mewn rhyw gornel o'r archfarchnad neu ar y stryd yng Nghaerfyrddin, neu mewn rhyw gyngerdd yn rhywle, fe gwrddwn â'n gilydd yn ddisymwth. Ac mae'n beth rhyfedd iawn, ond mewn eiliadau mae pellter y blynyddoedd yn diflannu ac mae'n teimlo ein bod ni newydd weld ein gilydd ddoe. Mae'r agosatrwydd yn aros ar waethaf pellter ac amser.

Bydda i'n meddwl yn ôl yn aml at yr amser y byddem yn mynd draw i ymweld ag Wncwl Eirwyn ac Anti Glenys pan o'n nhw'n ffermio Alltycadno. Roedd ganddyn nhw bump o blant, sef Ann, Mair, Gareth, Orwel ac Enfys. Byddwn wrth fy modd yn cael mynd draw i'w gweld nhw. Allan â ni yn syth yn un haid mawr i'r clos i chwarae pêl-droed. 'Na beth oedd joio, ond wedyn, cael dod i mewn ac eistedd o gwmpas y bwrdd mawr yn y gegin a chael cwpanaid o de Anti Glenys, a *Welsh cakes* a menyn arnyn nhw a siwgr drostyn nhw i gyd.

Dim ond rhyw dair milltir oedd rhwng Capel Ifan ac Alltycadno ond roedd Wncwl John, brawd arall Mam, yn byw ymhellach i ffwrdd. Roedd e'n ffarmio fferm Panteg ym Mhencader. Roedd ganddo ddau o blant, sef Eric ac Euros. Un annwyl iawn oedd Wncwl John 'fyd, wrth ei fodd yn ffermio ac yn joio tynnu coes. Rwy'n cofio mynd i'r traeth gyda nhw, i Gei Newydd un diwrnod o haf, Deris, Linda a fi. Roedd yn ddiwrnod twym iawn a ninnau wedi bod ar y traeth drwy'r dydd yn mwynhau. Ond erbyn i ni gyrraedd adre roedd y tair ohonon ni wedi llosgi yn yr haul. Roedden ni wedi llosgi go-iawn a finnau wedi llosgi cymaint 'mod i'n bothelli drosta i i gyd. Mae croen

Fi, Linda a Deris ar ymweliad â Phencader.

gole iawn gan y tair ohonom; dim ond gweld yr haul sydd eisiau ac fe awn ni'n goch fel tomatos! Rwy'n cofio dweud wrth Deris fod y pothelli'n boenus ac fe ddwedodd hi ei bod yn gwybod yn iawn beth oedd angen i'w gwella nhw. Fe roddodd fi i orwedd ar y gwely a chyda hynny dyma hi'n cydio mewn llyfr ac yn bwrw'r pothelli gydag e! Wel, anghofia i byth mo'r boen; roedd Linda a fi'n sgrechen. Dyna beth yw chwaer fawr, chi'n gweld.

Mae gen i atgofion hyfryd hefyd am Anti Joyce, chwaer Dad, ac Wncwl Derrick ei gŵr. Roedden nhw'n byw gerllaw, yn y Tymbl. Roeddwn yn hoff o

Deris, Linda a fi ar y traeth.

alw gyda nhw nid yn unig i'w gweld hi ac Wncwl Derrick ond i chwarae gyda Graham a Susan, eu plant. Rwy'n cofio cael mynd am wyliau haf gydag Anti Joyce i aros mewn maes carafannau yn Ninbych-y-pysgod. Dyna'r cof cyntaf sydd gennyf o bwll nofio ac o roi fy mhen dan y dŵr, ac rwy'n cofio Anti Joyce yn fy nhynnu gerfydd fy mreichiau er mwyn trio fy nghael i nofio, ond roedd ofn y dŵr arna i, ac mae'r ofn yna yn dal gyda fi hyd heddi.

Mae'n anodd gwybod ble i ddechrau wrth geisio disgrifio Anti Joyce; roedd hi'n fenyw mor arbennig. Roedd hi'n garedig iawn, fe wnâi hi unrhyw beth dros unrhyw un ac roedd pawb yn ffrind iddi. Âi hi'r ail filltir gydag unrhyw un a doedd dim byd yn ormod o drafferth iddi. Fe weithiodd yn galed iawn hefyd yn helpu i redeg garej bysys Gwyn Williams yn y Tymbl gydag Wncwl Derrick. Roedd hi'n fenyw smart iawn, bob amser yn ffasiynol. Beth bynnag fydde hi'n gwisgo, roedd popeth yn matshio'i gilydd, *earrings* glas gyda gwisg las, a phinc gyda gwisg binc a'r *lipstick* yn gweddu'n berffaith ac roedd ganddi wallt golau, pert. Roedd hi'n drefnus iawn ac yn llawn bywyd. Bydde hi'n gyrru bws mini neu'n gweithio ar y petrol neu ta beth oedd angen ei wneud er mwyn helpu dod i ben o gwmpas y garej. Bydde hi'n aml yn symud y celfi o amgylch y tŷ a byth a hefyd yn peintio'r stafelloedd. Roedd y tŷ fel pìn mewn papur gyda hi.

Daeth tro ar fyd pan ffeindiodd hi fod ganddi gancr y fron. Fe frwydrodd yn galed iawn yn ei erbyn; hi oedd y person cyntaf i mi ei adnabod a dderbyniodd driniaeth *chemotherapy*. Afiechyd slei iawn yw cancr. Do'n i ddim i wybod ar y pryd, wrth ei gweld hi'n brwydro â'r afiechyd, y bydde'n ymweld â Chapel Ifan yn ei dro flynyddoedd yn ddiweddarach, a Mam a minnau'n gorfod wynebu'r un frwydr. Rwy'n cofio bod gyda hi ar brynhawn braf o haf pan ddwedodd ei bod yn teimlo'n dwym. Roedd hi'n gwisgo wìg oherwydd i'r *chemotherapy* fynd â'i gwallt i gyd ac fe dynnodd y wìg bant. Hi oedd y fenyw gyntaf i mi ei gweld heb wallt; anghofia i byth mo hynny. Rwy'n ei chofio hi'n dweud, ''Na i gyd wy moyn yw byw am ddeng mlynedd arall'. Chafodd hi ddim. Er iddi frwydro'n galed i wella fe fuodd farw yn 53 mlwydd oed. R'yn ni i gyd fel teulu'n gweld ei heisiau'n fawr.

Wncwl Derrick ac Anti Joyce.

Mae 'na fanteision ac anfanteision wrth fyw ar fferm. Ac mae cael eich magu ar fferm yn hollol wahanol i fyw mewn stryd o dai. Roedd digonedd o le i chwarae ond roedd y plant i chwarae gyda chi'n brin. Doedd hynny ddim yn broblem fawr i mi; wedi'r cyfan, dwy flynedd sydd rhwng Linda a fi. Ond roedd yna dri bachgen yn byw gyferbyn â'r ffarm, sef Wayne, Neil a Paul Armstrong. Roedd y tri ohonyn nhw yn yr ysgol gyda fi hefyd. Bydden nhw wrth eu bodd yn dod i'r fferm, i helpu Dad i odro neu beth bynnag arall oedd angen ei wneud.

Roedden nhw draw bob dydd. Dim ond croesi'r hewl oedd rhaid ac roedden nhw fel tri brawd i mi. Byddent wrth eu bodd yn rhoi ysgwydd o dan holl waith y fferm, dreifio'r tractor, tynnu llo; beth bynnag oedd angen ei wneud, roedden nhw yno. Rwy'n cofio'n aml Dad yn galw arna i i'w helpu fe i dynnu llo ond os oedd angen mwy o help, Wayne, Neil a Paul oedd yn cael yr alwad gynta.

Roedd Teifion, eu tad, yn hoff iawn o chwarae'r gitâr ac yn aml byddwn i'n mynd draw i'r bwthyn gyferbyn, a dyna ble bydde Teifion ar y gitâr fas a Wayne, Neil a Paul yn defnyddio tair stôl y gegin fel drymiau a Linda a fi'n canu! 'Na beth oedd sŵn, ond roedd yn amser hapus iawn.

Peidiwch â 'nghamddeall i, mae gyda ni gymdeithas glòs iawn yng Nghwm Gwendraeth heddi ond roedd e dipyn yn agosach bryd hynny. Cyn dyddiau'r contractwyr, *joint effort* oedd cynhaeaf gwair. Bydde pawb draw, pobl oedd yn byw yn y stryd a ffrindie hefyd, ac roedden ni i gyd yn cael llawer o sbort. Byddwn i'n cerdded gyda Mam a Linda tu ôl i'r *baler* gwair tra bydde Dadi wrthi'n bêlo. Ein gwaith ni oedd gwneud yn siŵr fod y bêls i gyd mewn llinell yn barod i lwytho ar y treilar.

Bydde Deris yn y tŷ gan amlaf, yn helpu Mam gyda'r bwyd, gan fod rhyw ugain o bobl i gyd yn helpu ar y gwair. Ar ôl gorffen bydden nhw i gyd yn dod i'r tŷ i gael swper. Ham wedi berwi, tatws newydd o'r ardd a salad, ac ar ei ôl, treiffl a *Welsh cakes* Mam. Roedd un o'n cymdogion, Jeff Hart, yn helpu bob blwyddyn; roedd e'n dwlu ar *Welsh cakes* Mam a bydde hi'n rhoi trwch o fenyn arnyn nhw iddo fe. Un o'r pethau roedd Mam yn eu paratoi ar gyfer y cynhaeaf gwair bob blwyddyn oedd *Ginger Beer*.

Deris, fi a Linda.

Roed hi'n gwneud bwcedi ohono fe, a bydden nhw i gyd o dan ford y pantri. Roedd y *Ginger Beer* yn ffein; roedd e fel felfed yn mynd lawr!

Doedd dim dal beth fydde'n rhaid ei wneud. Rwy'n cofio troi'r gwair yn y caeau gwaelod un haf, neu'r cae o dan tŷ Beth, fel roedden ni'n ei alw. Roedd gan bob cae ei enw, Cae'r Eglwys, Cae Penffordd, Cae Tip, Cae Ffan, Cae Rhydlydd, Gwâl-yr-hwch. Beth bynnag, dyna ble roeddwn i yn y caeau gwaelod yn troi'r gwair ar ben tractor David Brown, gwyn. Roedd hi'n ddiwrnod twym a doedd dim cab ar y tractor a finne mewn crys-T ysgafn, a do, fe losges i eto a throi'n lliw tomato. Dw i'n dal heb ddysgu'r wers honno.

Roeddwn erbyn hynny wedi hen setlo yn yr ysgol

gynradd ym Mhontyberem. Druan â Mrs Smith, fy athrawes gyntaf, y cyfan wnes i am wthnose ar ôl dechrau oedd llefen a llefen a dweud 'mod i moyn mynd gartre. Rwy'n ei chofio hi'n cydio ynof fi a'm magu fi'n dynn a finne'n llefen a llefen. Erbyn y diwedd roedd hi wedi llwyddo i gael help Linda, a phob tro fydde'r dagre'n dechrau bydde hi'n hala i nôl Linda i ddod i helpu. Fe setlais lawr yn y diwedd a chael sedd ar yr un ford â Wendy Chick ac Eirlys Owen a Michelle Davies. Mae'n rhyfedd beth 'ych chi'n cofio wrth edrych yn ôl. Wendy ddysgodd fi i ddweud y gair 'ceffyl' yn iawn. 'Cesyl' fyddwn i'n dweud drosodd a drosodd nes i fi ei gael e'n iawn un diwrnod. Roedd y dosbarth yn hollol dawel a Wendy'n gwrthod rhoi lan; fe sylweddolais sut oedd ei weud e ac fe waeddais yn uchel 'ceffyl'!

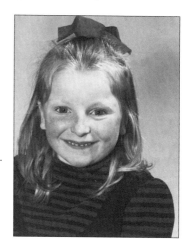

Fi yn saith oed.

Dosbarth Mr Jac Davies, ysgol Pontyberem.
Y prifathro, Mr Harry Owen, sy ar y dde yn y rhes gefn.

Ym Mhontyberem roedd yn rhaid symud i lawr i ysgol y sgwâr erbyn cyrraedd saith oed, ac· yno, o dan ofal caredig Mrs Jones, Mrs Morgan a'r Prifathro, Harry Owen, fe ddes i ar draws *double writing* a mathemateg, ac o dan ofal Mr Jac Davies, sefyll yr *eleven plus*. Yn y cyfnod yma hefyd datblygodd y ddawn a'r gallu i redeg, a byddwn i wrth fy modd yn mynd i lawr i'r parc i gynrychioli'r ysgol mewn rasys mabolgampau.

Mae'n rhyfedd o beth, ond mae gyda fi gof fod yr hafau bryd hynny lawer yn dwymach na'n hafau ni heddi. Prynhawniau braf o 'haf hirfelyn tesog', i ddwgyd ymadrodd y llenor. Mae'r seicolegwyr yn dweud wrthym ni nad oedden nhw'n fwy braf nag y maen nhw nawr, ond ein bod ni ond yn cofio'r gorau, yr *edited highlights* – fydden ni ddim yn dymuno

40

cofio diwrnodau gwlyb a glawog. Peidiwch â chredu popeth mae'r seicolegwyr yn dweud – roedden nhw *yn* hafau hir a thwym!

Fydden ni byth yn mynd ar wyliau yn blant; roedd ffermio bryd hynny'n ffordd o fyw ac yn waith caled. Roeddwn i wedi arfer bod gartref, a ddim yn poeni llawer am wyliau. Ond rwy'n cofio mynd un tro gyda Michelle, un o fy ffrindiau ysgol, am wythnos gyda'i theulu hi lawr i Bentywyn i aros mewn *static caravan*. Ar ôl rhyw dri diwrnod roedd hiraeth mawr arna i ac eisiau mynd adre. Rwy'n cofio mynd i'r traeth a mynd ar ben *air bed*, fi a Michelle, mas ar y môr. Wel roedd arna i ofn; doeddwn i ddim wedi arfer mynd mor bell mas i ddŵr y môr. Ar ben hynny doeddwn i ddim yn gallu nofio! Pan fydde Mam a Dad yn mynd â ni lawr i Gefn Sidan i lan y môr, bydden ni'n tair yn cerdded mewn i'r môr ond unwaith dele'r dŵr i gwato ein traed bydden ni'n clywed gweiddi o'r traeth, 'Peidiwch â mynd dim pellach, byddwch chi'n boddi'! Sdim rhyfedd fod ofn y dŵr arna i. Ond ar waetha'r dŵr fe gawson ni lot o hwyl ym Mhentywyn ac roedd yn rhaid mynd i'r siop i brynu anrhegion i bawb. Hyd heddiw *home bird* ydw i, a dyna fydda i bellach, go debyg.

Roedd gan Linda a fi wallt golau, golau iawn a dweud y gwir. Roedd e'n wyn bron, a phob man fydde ni'n mynd bydde pobl yn dweud, 'O, 'na wallt gole pert sydd gyda chi!' Un noson tra oedd Mam a Dad mas yn godro fe benderfynodd Linda a fi ein bod wedi cael digon o hyn. Dyma ni'n mynd i'r cwpwrdd lle roedd Mam yn cadw'r polish du a brown i lanhau sgidiau, a dyma ni'n dwy'n dechrau rhwbio polish du a brown i mewn i'n gwalltiau.

Fi a Linda.

Wel, os do fe! Pan ddaeth Mam i mewn o'r godro a gweld y ddwy ohonon ni, dyma hi'n dechrau llefen. A dyna wy'n cofio am weddill y noson honno, Mam yn llefen ac yn dala fy mhen o dan y sinc ac yn sgrwbio a sgrwbio i gael gwared â'r polish ofnadwy yna allan o'n gwallte. Roedd gwallt Linda'n ddu a finne'n frown tywyll, ac fe gafodd Mam dipyn o job i olchi'r holl bolish yna mas o'n gwallte ni.

Bob haf fe fyddwn i'n helpu Dad i wyngalchu ac i beintio'r adeiladau ar glos y fferm. Rwy'n cofio un tro, roedd Dad draw yng nghae'r eglwys yn troi gwair a finne wrthi'n peintio drws y sgubor. Ar ôl gorffen fel arfer fe fyddwn i'n golchi'r brwsh paent mewn diesel mewn hen bot jam. Pan estynnais i'r pot fe

42

sylwais ei fod e bron yn wag a bod angen rhoi rhagor o ddiesel ynddo fe. Fe es i â'r pot draw at y tanc diesel oedd ar y clos a dechrau ei lenwi, ond unwaith roedd e'n llawn ffaeles i droi tap y tanc diesel bant; roedd e'n pistyllio mas o'r tanc a dros bob man! Beth o'n i'n mynd i wneud? Dyma fi'n rhedeg draw yr holl ffordd i gae'r eglwys, ond roedd Dadi'n digwydd bod ar ben pella'r cae, ar y gwaelod, a'r diesel yn dal i redeg mas o'r tanc. Erbyn i ni gyrraedd yn ôl roedd y tanc cyfan bron yn wag a diesel dros y clos ym mhob man. Doedd Dad ddim yn bles, ond fe ddwedes i wrtho fe, 'Dim ond treial helpu o'n i'.

Roeddwn yn gallu rhedeg yn glou erbyn hyn hefyd. Ar ôl yr *eleven plus* es i i Ysgol Uwchradd y Gwendraeth ym Mhontyberem a datblygu fy noniau fel rhedwraig. Yr *100 metres* oedd fy hoff ras, ond o dan lygaid barcud Mrs Pat Lewis bu'n rhaid i mi oddef oriau o redeg traws-gwlad ym Mharc Pontyberem ac ar hyd y pentref. Doedd dim ots beth oedd y tywydd, roedd yn rhaid rhedeg. Mae gen i lawer cof o gyrraedd yn ôl yn yr ysgol â choesau piws, roedd hi mor oer! Ond roedd y cyfan yn help; roeddwn i wrth fy modd gyda phob math o chwaraeon. Roeddwn yn y tîm pêl-rwyd ac yn gwneud y naid hir a'r naid uchel hefyd. Fy ffrind, Monica, neu fi, fydde'n cipio'r wobr gyntaf bob tro, ac roedd y ddwy ohonom wrth ein bodd yn cystadlu yn erbyn ein gilydd bob blwyddyn. Rwy'n dal yn hoff iawn o redeg hyd heddiw.

Ambell waith ar ddydd Mercher byddwn yn cael

diwrnod bant o'r ysgol ac yn mynd gyda Dad a Mam i'r mart yng Nghaerfyrddin i werthu llo bach. Dyna beth oedd joio mas draw, a chael mynd wedyn i sêl fferm ar ddydd Sadwrn ac edrych ar Dad yn bidio gyda'i fys bach pan fydde'r arwerthwr wrthi'n gwerthu. Ychydig iawn o blant yr ysgol oedd yn byw ar ffermydd, gan mai ardal ddiwydiannol yw Cwm Gwendraeth yn bennaf, ac rwy'n cofio un diwrnod roedd Dad yn digwydd mynd heibio'r ysgol gyda thractor a threilar tua hanner awr wedi tri y pnawn a sylweddoli y byddwn i'n dod mas mewn rhai munudau, a dyma fe'n stopio tu fas yr ysgol i roi lifft yn ôl i mi. Wel dyna oedd *embarrasment* – pawb ar eu ffordd allan o'r ysgol yn edrych arna i'n neidio ar gefen y treilar. Anghofia i byth mo hynny!

Roeddwn yn mwynhau'r ysgol, ond wrth edrych yn ôl fe ddylwn fod wedi gwneud mwy o waith na wnes i. Roedd hi'n ysgol hyfryd, pawb yn siarad Cymraeg – neu o leia'n ei deall – a phawb yn gartrefol ac yn cymysgu gyda'i gilydd. Fe wnes i ffrindiau da yn yr ysgol, ffrindiau sydd wedi aros gyda fi am byth, er fod y cysylltiad uniongyrchol wedi torri ers blynyddoedd. Dim ond rhai wythnosau'n ôl daeth rhywun ataf ar y stryd yng Nghaerfyrddin i ddweud helô. Bu'n rhaid i mi edrych yn agos arno am hanner munud a mwy i drio sylweddoli pwy oedd 'da fi. Chwerthin mawr wedyn wrth i fi sylweddoli mai Ian Rees oedd e – roedden ni wedi dechrau yn yr ysgol fach ar yr un diwrnod ac fe adawon ni'r ysgol fawr ar yr un diwrnod. Ac ar y Sul,

Y flwyddyn olaf yn y Gwendraeth. Fi yw'r ail o'r chwith yn yr ail res. Ian Rees yw'r olaf ar y dde yn y rhes gefn.

byddem gyda'n gilydd mewn ysgol arall, yn yr Ysgol Sul yng Nghaersalem. Roeddwn i mor falch o'i weld e, ac yntau wedi bod yn byw yng Nghaerdydd ers blynyddoedd. Wel, dyna ble buon ni'n sgwrsio am ryw hanner awr am ddyddie ysgol a'n bywyde ni nawr; llenwi'r bylche! Roedd hi'n teimlo fel mai ddoe weles i fe ddiwethaf. Mae'r cysylltiad arbennig hwnnw sy rhwng ffrindiau ysgol yn un arbennig, rwy'n meddwl; cwlwm yw e sy'n gwrthod datod gan bellter nag oedran. Un o'r cyfansoddwyr gorau i ddod allan o Nashville yn ystod y deng mlynedd diwethaf yw merch o'r enw Beth Nielsen Chapman, ac ymhlith ei chaneuon trawiadol mae gyda hi un gân hyfryd iawn o'r enw 'Emily' lle mae'n gwneud yr union bwynt hynny. Mae'r gytgan yn drawiadol,

'Best friends are made through smiles and tears
And sometimes that fades over miles and years;
But I knew right away, when I saw you again,
Emily, we'll always be friends.'

Yn 1976 roedd Deris yn dathlu ei phen-blwydd yn ddeunaw, ac roedd parti i fod yng Nghapel Ifan. Un ar ddeg mlwydd oed oeddwn i ar y pryd. Anamal iawn y bydde alcohol gyda ni yn y tŷ gan nad oedd Dad a Mam byth yn ei yfed. Wel os do fe! Fe gydies i mewn potel o win coch a mynd â hi lan i'r llofft ac i mewn i'r gwely heb fod neb arall yn gwybod. Fe yfes y cyfan i'r gwaelod. Mewn ychydig dyma Mam yn dod lan i'r llofft a finne erbyn hyn wrth gwrs yn feddw gaib. Roedd popeth yn troi a'r ystafell yn mynd rownd a rownd. Ro'n i'n sâl ofnadwy yn y gwely, mor dost nes 'mod i 'nôl a 'mlan i'r tŷ bach drwy'r nos a Mam yn mynd o 'mlan i'n dala'r badell. Fe ddwedes ar y pryd, 'byth eto'! Dyna pam na fydda i hyd heddiw bron byth yn cyffwrdd alcohol.

Yn dair ar ddeg dechreuais weithio yn garej Gwyn Williams yn y Tymbl gydag Wncwl Derrick ac Anti Joyce. Byddwn yno o naw y bore hyd ddau o'r gloch y prynhawn bob dydd Sadwrn, ac fe weithiais i yno am ryw dair blynedd i gyd. Os galwch chi mewn am betrol yn garej Gwyn Williams fe welwch fod 'na gaban bach pren yng nghanol y *forecourt* ger y pympiau petrol hyd heddiw. Hwnna oedd fy nghwtsh i. Byddwn i yno ym mhob tywydd: glaw, rhew a hyd yn oed eira; mae pobol moyn petrol beth bynnag yw'r tywydd. Byddwn i'n gwerthu losin a sigaréts 'fyd. Ar ddiwrnode oer byddwn i'n gwisgo llwythi o ddillad, tebyg iawn i Mam-gu Tynycwm, dwy jwmper a chot fawr a dau bâr o sanau gan fod bysedd 'y nhraed yn rhewi. Fe ges i lawer o sbri gan fod gweithwyr y bysys i gyd yn dod i'r siop i brynu pop neu losin neu sigaréts, a bydde pawb yn tynnu coes ei gilydd, a finne'n dod gartre bob dydd Sadwrn yn drewi o betrol.

Ar ôl gorffen gwaith byddwn i'n mynd draw at Anti Joyce i gael cinio, ac i bwdin bydde hi'n rhoi twlpyn mawr o hufen iâ Frank's i fi a banana wedi'i thorri'n fân ar ei ben. Roedd e'n fendigedig! Bob hyn a hyn elen i ymlaen gydag Anti Joyce i Abertawe i siopa am y prynhawn. Un prynhawn roedden ni'n dod 'nôl o Abertawe ac roedd hi'n bwrw glaw yn sobor iawn, a weipers y car yn pallu'n lân â gweithio. Roedd hi'n bwrw gormod i fentro gyrru adre heb weipers ac Wncwl Derrick druan yn gorfod dod bob cam i Abertawe i'n hôl ni.

Roedden ni'n ffodus iawn o'n cymdogion, pobl hael a chyfeillgar a phob un yn helpu'r llall. Mae gen i gof annwyl iawn am Dan Wood, neu Wncwl Dan fel y byddem yn ei alw. Roedd yn byw ym Maesybryn, tŷ bach gerllaw, a bydde fe'n galw gyda ni bron bob dydd, amser te fel arfer, ar ôl i ni ddod adre o'r ysgol. Roedd yn gymeriad annwyl ac yn enedigol o Lanybydder. Gweithio ceffylau roedd e yn ôl ei grefft ond fe ddaeth i Gwm Gwendraeth, fel y bu i lawer, er mwyn chwilio am waith yn y pyllau glo. Rwy'n ei gofio fe fel ddoe gyda'i gap am ei ben, ac yn aml pan fydde Wncwl Dan draw bydde Dad yn dweud wrthon ni, 'Canwch gân fach nawr i Wncwl Dan', ac wy'n ei glywed e nawr yn dweud bob tro ar ôl i ni orffen canu, 'I'r dim, bachgen'. Un diwrnod wrth ddod adre o'r ysgol roedd wynebau trist gan Mam a Dad a dyma nhw'n dweud wrtha i yn drwm eu hysbryd, 'Mae Wncwl Dan wedi marw'. Torrais fy nghalon; dyma fy mhrofiad cyntaf i o farwolaeth. Aethom draw i Faesybryn cyn yr angladd a phopeth yn y tŷ yn ei le fel arfer. Roedd e'n dwlu ar geffylau ac roedd ganddo lun mawr trawiadol ar y wal o ddau geffyl yn rhedeg drwy ddŵr. Ond rwy'n cofio'r hyn a drawodd fi fwyaf y diwrnod hwnnw, sef sylwi ar ei gap. Roedd cap Wncwl Dan yn hongian yn unig wrth ochr ei gadair.

Wncwl Dan.

48

Mae ei fab, Daff, a'i wraig, Valmai, yn dal yn gymdogion i mi, a chymdogion a ffrindiau gwerthfawr a chywir ydyn nhw 'fyd. Rwy'n cofio galw gyda nhw ddiwrnod ar ôl i mi ddarganfod fod Mam yn dioddef o gancr – maen nhw wedi bod yn ffrindiau gorau i Dad a Mam ar hyd y blynyddoedd. A bob tro rwy'n gweld Daff neu Marion ei chwaer byddaf yn mynd yn ôl dros y blynyddoedd i fwynhau unwaith eto y cyfnod hapus a dedwydd a gefais yng nghwmni Wncwl Dan pan o'n i'n blentyn.

Fel y soniais, un o fy ffrindiau ysgol oedd Wendy Chick. Dechreuodd y ddwy ohonom yn ysgol y babanod gyda'n gilydd. Roedd ei thad-cu hi a Mam-gu yn gefnder a chyfnither. Yn aml iawn ar ôl ysgol byddwn i'n mynd lan i fferm Pontfawr i chwarae gyda Wendy ar ôl ysgol. Un tro fe aethon ni mas, y ddwy ohonom, i'r cae gwair, cae serth, a dyma ni'n dwy'n dechre rowlio i lawr y cae nes bod y gwair yn fflat bron i gyd. Daeth John, tad Wendy, mas a phan welodd y cae – neu yr hyn oedd ar ôl o'r cae – fe gafon ni lond pen, ond roedd e'n werth y stŵr, oherwydd fe gawson ni lot o hwyl yn rhowlio ar hyd y cae.

Rhyw dro arall roedd John yn ein helpu ni ar y silwair, yn dod ag e mewn i'r sièd, a dyna lle roeddwn i'n eistedd mewn rhyw gadair oedd wedi ei thynnu o hen gar, yn balansio ar ben y wal sy'n rhannu'r ddwy sièd. Un funud roeddwn yn edrych ar John yn dod â'r silwair i mewn, munud nesaf fe syrthies 'nôl, fi a'r gadair, a bwrw fy mhen ar lawr y sièd wair drws nesaf. Rwy'n cofio popeth yn mynd yn ddu a 'mhen i'n gwaedu. Ond doedd dim ffws o gwbwl; rhoddodd Mam glwtyn oer ar fy mhen a dweud wrtha i am orwedd lawr. Roedd lwmpyn fel wy ar fy mhen, ac mae'r graith dal gyda fi hyd heddi. Roeddwn i wrth fy modd yn chwarae ar fy meic, ac fe ges sawl dolur a chraith wrth gwympo oddi ar hwnnw hefyd, ond yn ôl ar ei gefn fyddwn i yn syth wedyn.

Mae'r hen ffarm yma'n llawn o atgofion melys ac yn ddisymwth weithiau, wrth basio rhywbeth neu wrth ffeindio rhywbeth tra'n whilmentan yn un o'r adeiladau mas, daw rhywbeth yn ôl i'r cof. Ar waelod Cae Tip mae 'na goeden fawr. Castanwydden yw hi ac fe fyddwn i draw pob hydref yn pigo concyrs a mynd â nhw 'da fi i'r ysgol i gael gêm o goncyrs gyda'n ffrindiau. Mae'r hen goeden yn dal yno ar waelod Cae Tip, ond gydag amser newidiodd fy niddordebau, a discos a bechgyn yn cymryd lle concyrs a beics.

Pan o'n i'n bedair ar ddeg fe ymunais â'r Clwb Ffermwyr Ifanc yn Llannon a bydde Linda a fi yno'n ffyddlon bob wythnos. Roedd y clwb yn rhoi cyfle i wneud llawer iawn o weithgareddau amrywiol a diddorol, ac i feithrin talentau a sgiliau newydd. Cefais gyfle i wneud cymaint o bethau ac i fentro i sawl maes newydd – siarad cyhoeddus, addurno blodau, coginio, cystadlu yn y Rali flynyddol yng Nghaerfyrddin – a chyfle i wneud ffrindiau newydd wrth ymestyn y ffiniau. Roedd yn ffordd arbennig o gymdeithasu ac yn brofiad gwerthfawr tu hwnt.

Yn aml ar nos Wener fe fydden ni'n mynd i ddawns y Clwb Rygbi ym Mhontyberem – neu'r Pelican fel roedd e bryd hynny. Roeddwn i wrth fy modd yn mynd yno, a bydde pawb yn yr ysgol, bron, yn mynd 'na 'fyd. Roeddwn i'n nabod pawb yn y disgo ac yn joio dawnsio drwy'r nos a chwrso'r bois. Fel arfer byddwn i'n mynd draw i dŷ Michelle neu Wendy cyn mynd allan. Roedd angen rhyw awr dda i wisgo a dod yn barod, ac yn aml bydde Michelle a Wendy a fi'n gwisgo dillad ein gilydd wrth i ni fentro mas am y Clwb. Roedd y wisg yn bwysig; bydde'n cymryd oriau i benderfynu beth i'w wisgo a hynny ar ôl gofyn i'n ffrindie i gyd beth fydden nhw'n ei wisgo! Ond beth bynnag oedd 'mlan yn y disgo, bob nos Wener am un ar ddeg ar y dot, bydde Dad yn aros tu fas yn y car yn barod i fy hebrwng i gartre. Mae gan Hergest gân fydd yn adnabyddus i lawer ohonoch chi, cân o'r enw 'On'd oedden nhw'n ddyddie da?' Cân sy'n edrych yn ôl yw

Linda a fi ar ein ffordd i'r Pelican.

hi, ac wrth i mi edrych yn ôl ar y dyddiau hynny, roedden nhw'n ddyddiau da a difyr.

A dyna ni, cipolwg ar hanes fy magwraeth a 'mhlentyndod i yng Nghapel Ifan. Rwy wedi trio peintio'r darlun i chi fel roedd e i blentyn fel fi ar yr adeg honno. I mi, mae'n ddarlun amryliw ac mae lliwiau fy mhlentyndod yn rhai llachar braf. Er hynny, lliwiau o'r gorffennol ydyn nhw. Erbyn hyn mae technoleg newydd wedi trawsnewid ein cymdeithas a'n sgubo ni i gyd i mewn i'r *global village* newydd. Peidiwch â 'nghamddeall i, does neb fwy o blaid technoleg na fi. Mae e wedi agor lot o ddrysau i fi, ond alla i ddim helpu ond meddwl ei fod e wedi pylu llawer o'r lliwiau oedd ar ganfas ein cwm ni wrth ychwanegu ei liw llachar ei hun. Mae hynny'n drueni, a phan fydda i'n edrych yn ôl bydda i'n meddwl yn aml sut roedd Mam-gu Tynycwm rhywsut wedi cael y balans yn iawn. Roedd hi'n mwynhau'r teledu, ac iddi hi roedd hwnnw'n dechnoleg newydd sbon. Ond pan fydde rhywun, unrhyw un, yn galw yn Nhynycwm, bydde hi'n diffodd y teledu yn syth. Pobl oedd yn bwysig, a nhw oedd yn cael y flaenoriaeth. Diolch byth fod y gwerthoedd hynny'n dal i fod yn fyw ac yn iach i raddau helaeth yng Nghwm Gwendraeth.

Mae'r cwm hwn wedi ennill enwogrwydd ymhell ac agos oherwydd ansawdd y glo. Ardal y glo caled yw hwn, ond, os oedd y glo'n galed, fe gafodd ei dynnu o'r ddaear gan bobl â chalonnau meddal, pobl onest ac agos-atoch-chi, pobl fy milltir sgwâr i.

DECHRAU CANU

Yn llawer rhy fuan daeth dyddiau ysgol i ben ac fe ddechreuodd cyfnod newydd yn fy mywyd. Cefais waith am ychydig mewn caffi yng Nghaerfyrddin cyn cael fy mhenodi i swydd gofalu am henoed mewn cartref hen bobl. Mae'n rhyfedd mor gyflym y gall bywyd newid ar ôl gadael ysgol. Mae gofalon newydd yn dod â'u cyfrifoldebau a'u dyletswyddau. Roedd gen i ddau fywyd mewn gwirionedd, y bywyd wythnosol gyda gwaith a gofal, ond wedyn pan ddele'r penwythnos fe fyddwn i'n mynd i ganu mewn rhyw gyngerdd neu Noson Lawen.

Dw i ddim yn cofio bywyd heb ganu. Mae'r dylanwadau 'nôl yn yr achau rhywle gan fod teulu Mam a Dad yn hoff iawn o ganu, ond mae'r teulu ar ochr Mam yn gerddorol iawn. Mae Mam wrth ei bodd yn canu, a'r cof cyntaf o ganu sydd 'da fi yw gwneud hynny gyda hi yn y gegin yng Nghapel Ifan. O'n i'n dweud ei fod yn yr achau: roedd Mam-gu ar ochr Mam yn hoffi canu hefyd ac Anti Dilys, chwaer Mam. Bydde hi a Mam yn canu deuawdau gyda'i gilydd mewn ambell i steddfod ac mewn cyngherddau lleol. Mae Mam yn adrodd hanesion weithiau am y

Fi a Deris wrth y piano.

gyngerdd flynyddol yn neuadd y pentref yn Llangyndeyrn ar ddydd San Steffan. Bydde'r neuadd yn llawn a phawb yn y gymdogaeth wedi troi mas i gefnogi, a Mam a Dilys yn canu. Ymhlith y caneuon y byddent yn eu canu mae Mam yn cofio'n dda yr emyn, 'Chwifiwn ein baneri'.

Roedd Mam yn canu i ni drwy'r amser, ac yn aml bydde hi wrth y piano yn canu caneuon o *Swn y Jiwbilî*. Mae ganddi lais harmoni arbennig a chlust gerddorol hefyd. Mae'n hoffi pob math o gerddoriaeth ond bob amser ar un amod, sef ei bod hi'n deall y geiriau. Mae'n dweud o hyd, 'Os nag wyt ti'n geirio'n blaen sdim pwynt i ti ganu o gwbl!' Roedd canu'n rhan o fywyd a phatrwm yr aelwyd a'r peth mwya naturiol yn y byd oedd i ymuno yn y gân. Yn aml pan fydde rhywun yn galw ar y fferm bydde

Dadi'n dweud, 'Rhowch gân fach, canwch y gân newydd 'ych chi wedi'i dysgu'. A dyna lle bydde'r tair ohonon ni lan ar y stôl yn canu. Nid perfformiad oedd e chwaith; roedd e'n teimlo fel peth hollol naturiol i'w wneud. Fel yna roedd hi a fyddwn i ddim yn meddwl rhagor am y peth.

Dylanwad mawr arall oedd cael canu yn yr Ysgol Sul a'r capel yng Nghaersalem, Pontyberem. Mae fy nyled yn fawr i bawb a roddodd o'u hamser i hyrwyddo a chefnogi'r gân yng Nghaersalem. Roedd mynd yno'n golygu fy mod yn dod ar draws canu cynulleidfaol yn wythnosol ac yn cael fy annog hefyd i feddwl am ddatblygu dawn i ganu ar fy mhen fy hun. Faint ohonon ni yng Nghymru sy'n ddyledus am y dylanwadau cynnar hynny a'r bobl roddodd yn hael o'u hamser a'u doniau er mwyn ein hannog ni?

Cynhelid Eisteddfod Dydd Gŵyl Dewi yn flynyddol yng Nghaersalem bryd hynny a phawb yn cael eu hannog i gymryd rhan. Cystadlu ar ganu ac adrodd, ac o! byddwn yn edrych ymlaen at yr Eisteddfod; roedd yn ddiwrnod mawr yng nghalendr aelodau Caersalem ac yn fy nghalendr i hefyd. Dydd yn llawn o hwyl a sbort. Roedd ecseitment mawr, nid yn unig oherwydd y paratoi a'r nerfau a thensiwn y cystadlu, ond byddwn i'n cael dillad newydd bob blwyddyn ar gyfer yr Eisteddfod hefyd!

Er mwyn paratoi ar gyfer yr achlysur, byddwn yn cael gwersi adrodd gan Mrs Megan Evans yn ei chartref hi, Bron y Gân, ym Mhontyberem. Rwy'n

Ni ein tair a Susan, fy nghyfnither, o flaen Caersalem.

gallu gweld y ddwy ohonom yn eistedd yn y gegin fach o flaen y tân mawr agored a Megan yn dweud, 'Reit, dere 'mlan nawr 'te, adrodd y darn 'na i fi'. Bydde hi'n sefyll o 'mlaen i, menyw dal, smart, popeth yn mynd 'da'i gilydd, clustdlysau mawr ar ei chlustiau, a *beads* i fatsho. Roedd hi'n cyfarwyddo'r cyfan â'i dwylo, ac yn rhoi o'i gorau er mwyn fy nysgu i adrodd y darn yn iawn. Bydde mam Megan yn eistedd wrth ochr y tân, gyda'i gwallt mewn *bun* a gallaf ei chofio hi'n dweud, 'Paid edrych ar neb, cwyd dy ben lan ac edrycha'n syth 'mlan at y cloc', a, 'Paid â becso beth 'ma neb yn feddwl, caria di 'mlan a gwna dy orau'. Y darn cyntaf a ddysgais er mwyn ei adrodd oedd 'Te Dydd Sul' ac rwy'n ei gofio hyd heddiw.

Er mwyn cael helpu Mami
Ddydd Sul i wneud y te,
Fe roes y bwrdd yn barod –
Pob dishgyl yn ei lle.

Roedd wyneb Mam fel heulwen
Wrth weld y bwrdd mor lân,
Rhoes arno'r lliain gorau
O'r cwpwrdd ger y tân;

Ond dyma'i gwedd yn newid –
Bu bron â chau ei dwrn,
Pan ddywedais wrthi'n siriol:
'Mae'r jeli yn y ffwrn'!

Byddwn yn dod mas o Fron y Gân yn fochau coch i
gyd ar ôl dysgu adrodd o flaen y tân. Rwy'n dal i
drysori'r profiadau cynnar hynny gyda Megan ac
mae'r addysg a gefais yn werthfawr i mi hyd heddiw.
Roedd hi'n llawn o hyder ei hunan ac yn meddu ar y
ddawn i'w drosglwyddo i eraill wrth ddweud yn
gadarn sut dylai'r darn gael ei adrodd. Ond roedd
ganddi hiwmor hefyd, yn llawn sbri. Roedd hi bob
amser yn bictiwr i edrych arni; roedd hi *with it* yn
gwisgo'r dillad mwya ffasiynol. A fel'na mae hi hyd
heddiw, yn hyderus, yn dal ac yn urddasol.

Ar ôl yr holl baratoadau bydde diwrnod yr
Eisteddfod ei hun yn cyrraedd a bydde'n amser i weld
a oedd yr holl waith paratoi yn mynd i ddwyn
ffrwyth. 'Sa i'n dal iawn heddi, ond roeddwn i dipyn

yn fyrrach bryd 'ny ac rwy'n cofio gorfod sefyll ar ben bocs mawr fel bo' pawb yn gallu fy ngweld i. Roedd Megan o 'mlaen i yn y gynulleidfa yn ei dillad gorau a finnau'n edrych yn syth i fyw ei llygaid hi a'i gweld hi'n geirio'r darn gyda fi ac yn rhoi gwên fach i mi ar ôl i fi orffen adrodd. Ei chyfarchiad cyntaf i mi bob tro ar ôl gorffen adrodd fydde, 'Da iawn, fe wnest ti dy ore'.

Yng Nghaersalem, fel mewn sawl eisteddfod capel, roedd y gwobrau'n dod mewn bagiau bach melfaréd neu lês, wedi eu gwnïo'n ofalus gan wragedd y capel. Bydde'r enillydd yn cael 50c yn y bag, 20c i'r ail a 10c i'r trydydd. Mae'r bagiau bach lliwgar yna'n dal yn ddiogel gyda fi yn y cwpwrdd lan lofft, ond mae'r arian wedi hen fynd, fel arfer i brynu loshin yn siop fach Jac ym Mhontyberem.

Rhai o aelodau ffyddlon Bethel.
O'r chwith: Myrddin Samuel, Dad, Tad-cu, Wncwl Tomos, Ifor Samuel, David John a Haydn yr Efail.

Yng Nghaersalem y mae fy aelodaeth hyd heddi ond bryd hynny, unwaith y mis, byddwn yn mynd i oedfa mewn cangen fach a berthynai i Gaersalem, sef capel Bethel, lan ar Fynydd Sylen. Ar un cyfnod byddai oedfa yno bob dydd Sul ond erbyn hynny roedd y cwrdd yn cael ei gynnal unwaith y mis am ddau o'r gloch ar brynhawn dydd Sul. Capel bach iawn oedd e a phawb yno'n perthyn i'w gilydd. Ffermwyr Mynydd Sylen oedden nhw bron i gyd – Tad-cu a Mam-gu Tynycwm, dau o frodyr Tad-cu, Wncwl Tomos, a'i wraig Ruby a David John, a'i wraig Joan. Wedyn roedd Ifor Samuel, cefnder Mam-gu, a'i brawd Myrddin, gyda'i wraig Nancy. Yn y seddi canol wedyn, Haydn yr Efail a theulu Brynwicket. Pawb bron yn perthyn ac yn gymdogion i'w gilydd. Tilly Rogers fydde'n canu'r organ; rwy'n ei chofio hi â het ar ei phen a'i thraed yn pedlo ffwl sbîd a'i dwylo'n crynu wrth ganu'r organ. Roedd Mrs Williams, gwraig y gweinidog, wedi gofyn i ni ddod â photel ddŵr twym gyda ni i'r cwrdd bob mis i'w rhoi yn yr organ er mwyn ei dwymo ddigon i'w berswadio i wneud sŵn. Ond, potel ddŵr twym neu beidio, fe ganodd yr organ ei nodyn olaf ar un prynhawn Sul ac fe ofynnodd Dafydd Wyn Williams, y gweinidog, i fi a Linda ddod â'n gitârs o hynny ymlaen, a ni'n dwy fydde'n cyfeilio i'r emynau a'r ddwy ohonom wrth ein bodd yn cael gwneud hynny. Roedd pawb yn morio canu yno, heb fecso a fydden nhw mewn tiwn ai peidio – ac yn amlach na pheidio bydde Mam-gu Tynycwm mas o diwn yn rhacs. Rwy'n gallu ei chlywed hi nawr yn canu 'Mae d'eisiau, O mae d'eisiau'. Yng nghefn llyfr emynau Mam-gu roedd 'na restr o emynau Bethel, hen ffefrynnau'r gynulleidfa arbennig honno, emynau fel, 'Wel dyma hyfryd fan', 'O na bawn i fel Efe', 'Mae d'eisiau di bob awr', 'Rwy finnau'n filwr bychan', 'Arglwydd Iesu, dysg im gerdded'. Yr hen emynau cyfarwydd fydden ni'n eu canu o fis i fis, gan fod pawb yn eu gwybod nhw, ond roedd yn brofiad gwych i ni wrth fentro cyfeilio gyda'r gitârs.

Mae gen i gof hefyd o wrando ar Wncwl Tomos, brawd Tad-cu, yn gweddio. Roedd ganddo lais addfwyn a thyner a oedd yn gweddu i drefnwr angladdau – fe oedd yn rhedeg busnes teuluol O. G. Harries a'i feibion. Cymeriad ffein ac annwyl heb un gair drwg i'w ddweud am neb oedd e, a chanddo fesur llawn o hiwmor naturiol. Roedd wedi priodi â Ruby a oedd yn dod o Lansawel, neu Briton Ferry, draw yng nghyffiniau Castell-nedd, ac yno buodd e'n byw ar ôl priodi. Er bod rhyw chwe milltir ar hugain yn gwahanu Briton Ferry a Phontyberem roedd Wncwl Tomos yn y siop erbyn hanner awr wedi wyth bob bore ac yno y bydde fe nes chwech o'r gloch bob nos. Nod ei fywyd oedd bod yn ffyddlon i'r busnes a gychwynnwyd gan ei dad.

Fydde fe, na'r un ohonon ni fel teulu, yn colli'r un cwrdd ym Methel ac os oedd rhywun ar goll ar brynhawn Sul roedd holi mawr am ei hynt a'i helynt. Byddem yn cynnal oedfa ddiolchgarwch ar noson

60

waith yn yr hydref. Un flwyddyn diffoddodd y golau i gyd, ond fe gynhaliwyd yr oedfa beth bynnag, yng ngolau canwyll. Roedd parti blynyddol amser Nadolig a phawb yno'n dathlu gyda'i gilydd. Lle fel'na oedd e, pawb yn helpu'i gilydd. Rwy'n cofio pawb yn dod i beintio'r capel a chasgliad rhydd y teuluoedd wedi talu am y paent a Dafydd Wyn Williams, y gweinidog, yno hefyd yn peintio gyda ni; roedd e'n gefnogol iawn i achos Bethel. Roedd rhyw awr o glonc yn dilyn pob oedfa, cyfle i roi'r byd yn ei le ac i gymdeithasu; roedd ymdeimlad o agosatrwydd a chynhesrwydd naturiol yno oedd yn werthfawr iawn. Roedd lle arbennig yn fy nghalon i i Bethel ac i gymeriadau a ffermwyr Mynydd Sylen.

Ond yn 1979 fe benderfynwyd cau'r capel bach gan ddisgwyl y bydde pawb oedd yn cwrdd yno yn mynd i Gaersalem o hynny ymlaen. Gyda chau'r drws arbennig yna daeth cyfnod o hanes i ben ar gymdeithas glòs ac unigryw. Rhyw bymtheg o aelodau ffyddlon oedd yno erbyn 1979 ar adeg cau'r drysau. Mae llawer i gapel heddi'n dal i gynnal cwrdd yn hapus gyda llai na phymtheg aelod. Fel mae'r adnod yn dweud, 'Lle bynnag mae dau neu dri yn ymgynnull yno y byddi Di yn eu canol'. Mae'n anodd deall y rhesymu y tu ôl i'r penderfyniad i'w gau ac, yn rhyfedd iawn, cafodd fy nith, Anwen Eleri, ei bedyddio yn ystod yr oedfa olaf i'w chynnal yno. Roedd Deris wedi mynd â llestr arian i ddal dŵr y bedydd a photel o ddŵr hefyd. Fi oedd yn gyfrifol am roi'r dŵr yn y llestr ac ar ôl gwneud, gadewais y botel ddŵr ar y ford. Bywyd newydd ac addewid y dyfodol yn rhannu achlysur cau drysau'r achos. Eironig iawn!

Mae 'na hanes arbennig i'r gitârs 'na a'u dyfodiad i Gapel Ifan. Fe ddechreuodd y cyfan pan aeth Deris gyda'r ysgol i aros yng Ngwersyll yr Urdd yn Llangrannog. Yr adeg honno roedd pawb yn moyn chwarae'r gitâr a thra bu Deris yno dyma un o'r 'swogs' oedd yn gofalu amdani'n dysgu cwpwl o gordiau iddi. Ar ôl iddi ddod 'nôl o'r gwersyll cafodd Deris ei gitâr ei hunan gan fy nghefnder, Eric, ym Mhencader. Roedd hi nawr yn gallu chwarae'r cordiau i ni yng Nghapel Ifan. Pan ddaw offeryn newydd i'r tŷ mae pawb moyn cael tro arno ac roedd Linda a fi am y gorau'n trio dysgu cwpwl o gordiau hefyd. Yr anhawster mwyaf i mi oedd fy mod yn llaw chwith ac roedd yn rhaid chwarae'r gitâr â'r llaw dde. 'Dyfal donc a dyrr y garreg' medden nhw, ac fe ddes yn gyfarwydd, a dysgu ychydig o gordiau.

Y Nadolig hwnnw, doedd dim lot o waith i ddyfalu beth o'n i moyn. Erbyn hyn roedd Linda a fi'n ysu am gael gitâr yr un. Wel fe aeth Dadi i'r mart yng Nghaerfyrddin rhyw fore dydd Mercher a gwerthu dau lo, ac ar y ffordd adref prynu dwy gitâr, un i fi ac un i Linda. Dyna oedd Nadolig hyfryd. Roeddwn i mor ecseited, roeddwn wrthi'n ei chwarae a chanu drwy'r dydd. Efallai fod rhai ohonoch chi'n gyfarwydd ag un o ganeuon hyfryd John Denver,

'This old guitar'. Yn y gân mae'n disgrifio shwd y bu i'w gitâr agor drysau iddo fe, a'i alluogi i ganu ei ganeuon a chwrdd â phobl newydd gan gynnwys ei wraig, Annie, a gafodd ei hanfarwoli yn ei gân 'Annie's Song'. Wel, fe ddes i'n ffrindie â 'ngitâr innau hefyd ac fe agorodd ddrysau diddiwedd a chaniatáu i mi hefyd ganu cân a chwrdd â phobl. Bydde'r gitâr a fi'n mynd yn aml i'r beudy gan fod yr *acoustics* mor dda yno, a dyna lle byddwn i am oriau'n canu. Byddwn i'n aml hefyd yn eistedd ar wal wyngalch y clos yn canu pob math o ganeuon. Fe ddwedodd y cerddor a'r cyfansoddwr enwog, George Gershwin, fod yna fiwsig o'n cwmpas ni ym mhob man. Dawn y cyfansoddwr, meddai Gershwin, yw gallu ei glywed a'i gyfieithu a'i osod mewn cân er mwyn i bawb rannu'r profiad. Ac rwy'n cofio'n glir, bob tro byddwn i yn y beudy, bydde'n rhaid i fi ganu oherwydd fod sŵn y peiriant godro'n taro rhythmau oedd yn tynnu'r caneuon mas. Mae hynny'n brofiad cyffredin i bob cyfansoddwr, siŵr o fod; rwy'n cofio clywed un o aelodau'r grŵp Abba'n dweud fod ei gân 'Take a Chance' wedi dod iddo tra oedd mas yn jogio a rhythmau ei draed yn rhedeg ar y hewl yn benthyg y rhythm iddo ac yn deffro'r gân. Rwy'n credu fod y gân yn ddwfn ynom ni i gyd ond mae angen rhywbeth neu rywun i'w deffro. Byddaf yn diolch yn dawel ambell waith i'r ddau lo bach 'na a werthwyd yn y mart: oni bai amdanyn nhw fyddwn i ddim wedi cael gitâr a dechrau canu!

Un tro cyn eisteddfod y capel fe ddysgodd Deris a Linda a fi un o ganeuon Arwel John, sef 'Cwm Gwendraeth'. Roedd y tair ohonon ni'n canu, Deris ar y gitâr a Linda'n canu harmoni ar y gytgan. Roedd Mam wedi bod yn ymarfer y gân gyda ni sawl gwaith ac erbyn diwrnod yr eisteddfod roeddwn yn ei gwybod yn iawn. Saith mlwydd oed o'n i ar y pryd ac fe allwch ddychmygu'r ecseitment pan enillon ni'r wobr gyntaf am ganu'r gân. Yn sgil y fuddugoliaeth honno daeth gwahoddiad i ni ganu yn neuadd Cross Hands, gan fod

Seiniau'r Gwendraeth.

64

yna gyngerdd fawr wedi ei threfnu yno. Wel dyna beth oedd profiad, cael canu ar lwyfan mewn neuadd fawr. Roedd Linda, fel Mam, yn dwlu ar ganu harmoni, a fi a Deris yn canu'r alaw. Bachgen lleol, Peter Harries, oedd yn arwain y noson, ac ymhlith yr artistiaid y noson honno roedd Dafydd Iwan! Roedd y neuadd yn llawn a'r tair ohonom yn edrych ymlaen at rannu llwyfan gyda Dafydd Iwan. Aeth popeth yn iawn ar y noson ac yn fuan daeth mwy a mwy o wahoddiadau i ganu mewn cyngherddau. Daeth yn amser i feddwl am enw ac fe gytunon ni ar yr enw 'Seiniau'r Gwendraeth'. Roedd pethau'n prysuro ac yn mynd o nerth i nerth. Bydde'r penwythnosau'n brysur iawn gyda'r grŵp newydd wrthi'n perfformio mewn cyngherddau a nosweithiau llawen ymhell ac agos.

Mam fydde'n ein dysgu ni i ganu. Rwy'n ei gweld hi nawr yn dod mewn i'r tŷ ar ôl gorffen godro, yn tynnu ei welingtyns i ffwrdd ac yn sefyll o flaen y Rayburn a drws y ffwrn led y pen ar agor er mwyn iddi dwymo ar ôl bod mas yn yr oerfel. A dyna lle bydde hi'n gwrando arnon ni'n canu, ac yn dweud o hyd, 'Cofiwch eich bod yn geirio'n blaen neu does dim pwynt i chi ganu'. Cawsom ein gwahodd un tro i ganu mewn tair cyngerdd ar dair noson olynol, nos Iau, nos Wener a nos Sadwrn, a rhannu llwyfan gyda Tony ac Aloma. Nhw oedd ar y brig bryd hynny, y *popstars* Cymreig. Ar yr ail noson roedd y gyngerdd i'w chynnal ym Mhorth Tywyn ac fe ofynnodd Aloma i Deris a fydde hi'n fodlon mynd â'i ffrog gartref gyda hi er mwyn ei smwddio erbyn y gyngerdd y noson wedyn. Wel dyna ffws! Rwy'n cofio nawr gweld ffrog hyfryd Aloma'n hongian tu ôl i'r drws yn yr ystafell ffrynt, ffrog hir sidan goch a finnau'n mynd mewn i'r ystafell yn dawel fach i gyffwrdd â'r ffrog oherwydd ei bod yn perthyn i Aloma. A Mam wedyn yn dweud wrth Deris, 'Bydd yn ofalus nawr, watshia paid â'i llosgi 'ddi â'r harn 'na!'

Roedd cael rhannu llwyfan gyda rhai o brif artistiaid Cymru yn brofiad arbennig, pobl fel Tony ac Aloma a Dafydd Iwan a Hogia Llandegái a Hogiau'r Wyddfa. Doedd dim pwysau arnon ni; fydde Dad a Mam byth yn ein gwthio ni i ganu, ond roedd y tair ohonon ni'n moyn canu. Fe fydden nhw'n dod gyda ni i bob cyngerdd – nhw oedd yn mynd â ni gan nad oedd un ohonon ni'n ddigon hen i yrru! Fe fydden ni i gyd yn dringo i gefn y Landrover a'r gitârs yn y cefn

Ni ein tair yn 1978.

66

gyda ni, roedd e'n lot o sbri ar y pryd. Wrth feddwl yn ôl nawr mae'n rhaid ei fod e wedi bod yn dipyn o waith a straen hefyd i Mam a Dad. Er mwyn ein cael ni i gyngerdd neu noson lawen bydde'n rhaid godro'n gynnar a gwneud yn siŵr fod popeth yn iawn ar y fferm cyn mynd. 'Sa i'n eu cofio nhw unwaith yn dweud eu bod yn methu mynd â ni; roedden nhw'n mwynhau cystal â ni.

Er cymaint y pwysau arnyn nhw i fynd â ni i gyngherddau roedd Dad yn gwrthod defnyddio'r Sul i ddala lan ar y fferm. Doedd gweithio ar y Sul ddim yn opsiwn o gwbl. Dydd i orffwys oedd y Sul ta beth oedd 'mlaen ar y fferm; amser cynhaea neu beidio, gele dim un bêl ei lwytho ar y Sul yng Nghapel Ifan. Roedd hynny'n bwysig, rwy'n meddwl. Os na fydden nhw'n gwneud pwynt o gymryd diwrnod bant fydde fe'n ddigon rhwydd i weithio bob diwrnod o'r flwyddyn ar fferm. Yr unig beth a ddigwyddai ar ddydd Sul oedd y godro; bydde popeth arall yn cael aros hyd at ddydd Llun. Diwrnod i ymlacio a mynd i'r cwrdd oedd y Sul.

Mae'n rhyfedd wrth edrych yn ôl ar hen luniau cymaint y mae ffasiynau'n newid. Y ffasiwn bryd 'ny mewn cyngherddau oedd sgyrts neu ffrociau hir a blodau drostyn nhw i gyd. Bydde Linda a fi'n aml yn gwisgo'r un peth, a Deris mewn gwisg wahanol gan ei bod hi'n hŷn na ni. Roedd yn gyfnod hapus ac yn brofiad gwerthfawr i mi, cyfle i fwrw prentisiaeth, magu hyder o flaen cynulleidfa, a dysgu hefyd sut i ymateb i gynulleidfa a dehongli ymateb y gynulleidfa i mi. Sgiliau'r perfformiwr oedd y rhain ac fe gefais gyfle arbennig yn ifanc iawn i'w dysgu. Unigolion sy'n gwneud cynulleidfa, ac ymhlith y gwersi a ddysgais oedd deall fod pob cynulleidfa'n wahanol i'w gilydd.

Roedd yr ysgol yn gyfle i feithrin doniau canu hefyd. Cefais gyfle i ganu droeon yn yr ysgol gynradd mewn cyngherddau a pherfformiadau'r ysgol. Rwy'n cofio'n iawn y cyfle cyntaf a gefais i ganu yn yr ysgol uwchradd yn ddiweddarach – deuawd gyda Linda. Roeddwn yn crynu i gyd oherwydd bod yn rhaid i mi ganu o flaen yr ysgol i gyd, plant ac athrawon, a Linda'n canu'r harmoni. Rwy'n cofio camu i'r llwyfan a gweld yr holl blant o 'mlaen i, yn fôr o wynebau, a sylwi'n arbennig ar yr efeilliaid o Bont-henri'n sefyll

Fi yng ngwisg
Ysgol y Gwendraeth.

yng nghefn y neuadd. Roedden nhw yn y flwyddyn olaf ac yn dal iawn, ymhell dros eu chwe throedfedd, yn sefyll yno yng nghefn y neuadd fel dau gawr a finne'n sefyll ar y llwyfan yn teimlo'n fach iawn ac yn crynu yn fy sgidie yn llawn ofn, ond unwaith dechreuais i ganu o'n i'n iawn. Roeddwn yn aelod o gôr yr ysgol ac yn canu mewn ambell i Eisteddfod. Rwy'n cofio tro arall, y Prifathro'n ysgrifennu cân i Linda a fi i'w chanu – 'Lawr yn yr hen berllan geirios' – a bu'n rhaid i ni ei chanu yn yr *assembly* o flaen yr holl ysgol.

Daeth cyfle un tro i deithio i Eisteddfod yr Urdd yn y gogledd i gystadlu mewn cystadleuaeth grŵp pop. Hon oedd fy nhaith gyntaf i'r gogledd ac roedd e'n brofiad arbennig gan fy mod yn cael aros dros nos ar aelwyd teulu oedd yn byw yn agos at faes yr Eisteddfod. Doeddwn i erioed wedi bod yng nghwmni rhywun oedd yn siarad ag acen ogleddol cyn hynny, ac er i mi ei chlywed ar y radio, dyma'r tro cyntaf i mi gwrdd â rhywun oedd yn siarad Cymraeg y gogledd!

Bydde Linda a fi'n cael cais i ganu bob tro bydde rhywbeth ymlaen yn yr ysgol. Roedd yn brofiad arbennig i gael bod yn rhan o sioe ysgol ac fe gefais gyfle i ganu 'Fernando', un o ganeuon Abba, yn y sioe *Agi Agi Agi*, a hynny mewn trowsus sidan du a thop byr oedd yn disgleirio yn y golau; roeddwn wrth fy modd. Beth amser wedyn cafodd Linda a fi a Wendy Morgan, merch arall o'r ysgol, gyfle i ganu ar raglen deledu o'r enw *Yr Awr Fawr*, rhaglen oedd yn rhoi cyfle i dalentau newydd gael eu gweld ar lwyfan

Agi Agi Agi.

Yr Awr Fawr.

cenedlaethol. Wel, roedd hi *yn* awr fawr i fi! Roedd y criw ffilmio yn mynd i ddod allan i Neuadd Cross Hands, ac Emyr Wyn oedd i gyflwyno. Roedd yn garreg filltir yn fy ngyrfa i ac yn brofiad gwerthfawr.

Yn aml iawn bydde plant yn dod gartre o'r ysgol 'da fi oherwydd eu bod nhw moyn dysgu gitâr, a dyna lle byddwn i'n dysgu ychydig o gordiau iddyn nhw. Yn eu plith oedd fy ffrind Gareth Williams oedd yn byw lawr yr hewl. Cawsom lot o sbri yn dysgu un o ganeuon Kenny Rogers, 'Coward of the County', ac unwaith, enillodd Gareth gystadleuaeth canu gyda'r gân honno pan oedd ar ei wyliau. Ar ôl iddo ddysgu ychydig o gordiau cafodd gitâr acwstig newydd yn anrheg y Nadolig canlynol. Gitâr ddu oedd hi, a doeddwn i ddim wedi gweld gitâr ddu erioed o'r blaen. Rwy'n cofio un tro, pan oedd Gareth draw yn canu, iddo fe fwrw hen fasyn coch a oedd gennym ar ôl Mam-gu drosodd oddi ar y bwrdd bach yn yr ystafell ffrynt gyda'i gitâr – roedd hi'n fwy na fe yr adeg hynny! Byddwn i'n canu tipyn gyda Gareth gan ei fod ef hefyd yn mynd i Gaersalem.

Ar ôl i Deris briodi a dechrau magu teulu bydde hi'n canu llai a llai gyda ni ac aeth Seiniau'r Gwendraeth yn ddwy. Ond yn fuan iawn roedd Linda hefyd wedi dechrau gweithio a'i hamser hi'n mynd yn brin. Doedd hi'n methu canu bob penwythnos, felly fe fentrais i wneud ychydig o gyngherddau ar fy mhen fy hun. Y gyngerdd gyntaf fel *solo artist* oedd mewn cinio a drefnwyd gan Undeb Amaethwyr Cymru yn

Llanelli. Roeddwn yn teimlo'n nerfus iawn ond aeth popeth yn iawn ar y noson. O hynny ymlaen daeth gwahoddiadau i ganu mewn sawl cyngerdd a chyn i mi sylweddoli'n iawn, roeddwn yn dechrau ennill enw i fi fy hun fel perfformwraig unigol.

Roedd hwn yn gyfnod bishi iawn yn fy mywyd i. Roedd y canu'n gorfod cael ei drefnu o gwmpas galwadau gwaith, a chyn hir galwadau teuluol hefyd. Erbyn 1983 roeddwn yn briod ac wedi symud o Gwm Gwendraeth i fyw gyda fy ngŵr yn ardal Hen-dŷ Gwyn. Yn 1984, ar Fehefin 12, cafodd Geinor Haf ei geni yn pwyso wyth pwys a hanner. Maen nhw'n eich rhybuddio chi fod plant yn newid eich bywyd a dyna yn gwmws ddigwyddodd, a finne mor ifanc fy hunan. Ond roedd hi'n werth y byd i gyd. Hyd yn oed yn fabi roedd Geinor yn fishi; roedd hi'n rhedeg bron cyn iddi ddechrau cerdded. Fel ei mam, roedd Geinor hefyd wedi dechrau canu yn blentyn ifanc iawn. Dim ond unwaith roedd yn rhaid canu cân iddi ac fe fydde'n ei chofio'n syth. Yn nes ymlaen byddwn i'n mynd â hi i ganu mewn ambell i steddfod leol, ac yn aml iawn bydde hi'n ennill y wobr gyntaf. Mae ganddi sawl cwpan neu darian yn y cwpwrdd i gofio.

Ar Ebrill 13, 1988, daeth Gari Rhys i'r byd, yn pwyso saith pwys a hanner. Roedd Gari'n fabi tawel iawn ac yn rhwydd i'w garco. Dim ond iddo gael digon o fwyd, fe fydde fe'n dawel ac yn fodlon. A dyna fel mae e hyd heddiw. Dim ond bod ei fola'n llawn mae e'n iawn. Yn aml pan fyddwn i'n mynd i ganu mewn cyngerdd bydde'r plant yn dod gyda fi. Roeddwn yn mwynhau gyda nhw; rwy'n cofio mynd i ganu'n aml a rhoi Geinor a Gari i eistedd ar ochr y llwyfan tu ôl i'r llenni nes 'mod i wedi gorffen canu.

A dyna oedd patrwm fy mywyd, magu'r plant a chanu ar y penwythnosau. Yn 1991 daeth cynnig gan gwmni recordiau Fflach yn Aberteifi i ryddhau tâp erbyn y Nadolig y flwyddyn honno, ac fe es ati i chwilio am ganeuon newydd. Roedd hwn yn brofiad

Geinor a Gari.

73

newydd ac roeddwn i'n edrych ymlaen yn fawr at gael dechrau recordio mewn stiwdio.

Y caneuon y bydda i'n eu mwynhau fwyaf yw'r rhai sy'n adrodd stori, fel bod rhyw ystyr i'r gân a'i bod yn golygu rhywbeth. Dyna'r caneuon sy'n taro tant gyda phobl fel arfer. Yn ystod y flwyddyn honno roedd pobl Cwm Gwendraeth yn brwydro'n galed i gadw Ysbyty'r Mynydd Mawr ar agor. Ysbyty i'r henoed yw hi, ar y mynydd rhwng Tymbl a Llan-non, ac mae'n werthfawr i drigolion y cwm. Meddyliais y bydde'n dda o beth i gael cân fydde'n cyfleu'r gwrthwynebiad i'r cynllun i gau'r ysbyty yn y cwm. Cysylltais ag Arwel John o Grwbin a gofyn iddo ysgrifennu geiriau fydde'n crynhoi'r ymgyrch, a chryfder teimlad pobl Cwm Gwendraeth. O fewn awr roedd Arwel wedi fy ffonio 'nôl i ddweud ei fod wedi ysgrifennu'r geiriau, ac fe adroddodd y cyfan i mi dros y ffôn. Roedd y geiriau'n cyfleu'n berffaith y teimlad fu yn y cwm yr adeg hynny o blaid yr ysbyty. Yn syth ar ôl rhoi'r ffôn i lawr dyma fi'n cydio yn y gitâr – doeddwn i erioed wedi cyfansoddi o'r blaen – a dechrau canu gyda'r geiriau. Oherwydd fod y geiriau'n ysbrydoli cystal, dilynodd yr alaw yn hollol naturiol.

CÂN YSBYTY'R MYNYDD MAWR

Maen nhw'n siarad iaith toriade,
Ond yn gweud bod du yn wyn;
Bod yr haul tu draw i'r gorwel
A bod enfys dros y bryn,
Maen nhw'n addo rhyfeddode –

Dim ond cefnu ar y cwm,
Lle mae gwên y lili bengam
Ar y cloddie'n garped trwm.

CYTGAN
Un gân sy gen i yn awr;
Gweld briallu'r gwanwyn nesa
Drwy ffenestri'r Mynydd Mawr.
Un gân sy gen i yn awr;
Cael gweld melyn y briallu
Drwy ffenestri'r Mynydd Mawr.

Maen nhw'n mesur gwerth y werin
Yn y cwm wrth werth y bunt,
Gan anghofio'r penderfyniad
A fu yma'r dyddiau gynt,
'Dyn nhw'n twyllo neb wrth honni
Nawr fod un ac un yn dri,
Byddwn yma'r gwanwyn nesa,
Waeth y cwm yw'r lle i ni.

Maen nhw'n byw mewn byd ffigure
Mhell o'm cartref cynnes clyd,
Lle mae'r gog yn canu'n gynnar
O Lan-non i Borth-y-rhyd,
Lle mae dawns yr ŵyn yn cymell
Gwanwyn newydd yn ei dro,
Byddwn yma pan ddaw'r gwanwyn
Unwaith eto i'r hen fro.

Mae cael mynd i stiwdio i recordio tâp yn brofiad
arbennig ac yn dipyn o waith. Roedd Richard a Wyn,

perchnogion Cwmni Fflach, yn ei droi yn waith pleserus ac erbyn Nadolig 1991 fe gafodd fy nhâp cyntaf, *Ffenestri'r Gwanwyn*, ei ryddhau. Yn fuan wedyn daeth cyfle i weithio i gwmni Agenda yn Abertawe. Rwy'n ddiolchgar hyd heddiw i Gari Melville am y cyfle i wneud hynny. Fe oedd yn gofalu am yr adloniant ar gyfer rhaglen *Heno* bryd hynny. Ar ôl i mi ganu ar y rhaglen fe ddechreuodd yr olwyn droi go-iawn ac fe ddaeth cynnig gan Hefin Elis i ganu dwy gân ar *Noson Lawen* ar S4C. Roeddwn wrth fy modd a phopeth yn mynd o nerth i nerth. Mae'n rhaid i mi ddweud fod byd y cyfryngau'n hollol ddiarth i mi bryd hynny; doedd neb o'n i'n nabod yn gweithio yn y maes na chwaith â phrofiad o'r cyfryngau. Doedd 'na neb i fy rhoi fi ar ben y ffordd a bu'n rhaid i mi ddod o hyd i'm ffordd fy hun. Doedd hynny ddim bob amser yn hawdd, ond byddwn i'n manteisio ar bob cyfle o'n i'n ei gael i ganu, boed hynny mewn tafarnau bach neu mewn neuaddau mawr.

Mae sefyll o flaen cynulleidfa'n gallu bod yn waith blinedig iawn; mae'n rhaid rhoi o'ch gorau o hyd. Bydde llawer o'r nosweithiau'n rhai hwyr iawn ac yn flinedig ond roeddwn i'n mwynhau pob munud. Mae 'na foddhad mawr i'w gael ar lwyfan ac mae'n broses sy'n gweithio ddwy ffordd. Fel cantores mae'n rhaid i mi roi i'r eithaf, ond hefyd rwy'n derbyn cymaint yn ôl gan y gynulleidfa. Dyna sy'n rhoi'r pleser: os yw'r gynulleidfa i'w gweld yn mwynhau, wel, mae'r cyfan yn werth ei wneud. Mae'n rhaid eich bod yn hapus ac yn gartrefol ar lwyfan neu bydde'n amhosibl gwneud y gwaith. Roedd y profiad cynyddol o weithio o flaen cynulleidfaoedd amrywiol – ac ar y teledu hefyd erbyn hyn – yn gyfle i ddysgu sut oedd ymateb i gynulleidfa. Mae pob noson yn wahanol a phob cynulleidfa'n wahanol hefyd.

Erbyn 1993 roeddwn yn ôl yn y stiwdio er mwyn recordio tâp arall gyda Recordiau Fflach, sef *Aur o Hen Hafau*. Gwerthodd y tâp yn dda a chyda hynny cynyddodd cynigion i gynnal cyngherddau hefyd. Roeddwn yn cael mwy o gyfleoedd i rannu llwyfan gydag artistiaid eraill. Un o'r pethau sy'n bwysig wrth fentro i'r stiwdio i recordio yw meddwl o ddifri am ganeuon newydd a'u cyflwyno mewn rhyw steil newydd hefyd. Mae'n rhaid fod yna ddatblygiad a symud ymlaen er mwyn bod yn greadigol.

Rhyw brynhawn fe alwodd Richard a Wyn, Cwmni Fflach, heibio ac yn ôl ein harfer bydde'r tegell yn berwi er mwyn cael cwpaned o de a sgwrs. Tra mod innau'n gwneud y te dyma Richard yn mynd i'r ystafell ffrynt ac yn cydio yn y gitâr. O'n i'n gallu ei glywed e o'r gegin ac yn sydyn yng nghanol gwneud brechdan fe glywais i fe'n canu rhyw alaw hyfryd. Ffon fesur i fi ar unrhyw gân yw, os bydda i'n ei chlywed ac yn gallu ei chofio a'i hymian fy hunan, rwy'n gwybod wedyn ei bod hi'n mynd i weithio. Ac fe ddwedes i wrth Richard yn syth, 'Hei, ma' gyda ni rywbeth fan hyn!'

O'n i'n gwybod yn syth fod yr alaw yn cynnwys rhyw onestrwydd syml a chartrefol. Yn bendant roeddwn am roi'r alaw ar y CD newydd, ond cyn hynny fe ffoniais i Arwel John yng Nghrwbin a chwarae'r alaw iddo fe. Ar ôl ei chlywed dywedodd Arwel yn syth ei fod yn teimlo fod rhyw naws werinol yn perthyn i'r gân. O fewn rhyw ddiwrnod fe dderbyniais y geiriau gan Arwel – ie, 'Cân i'r Ynys Werdd'. Pan ddarllenais y geiriau am y tro cyntaf roeddwn i'n gwybod fod yma briodas berffaith rhwng y geiriau a'r alaw. Sôn am Iwerddon y mae'r gân ac mae'n disgrifio'n berffaith y math o le ro'n i'n dychmygu'r Ynys Werdd i fod. Rhyfedd o beth taw 'Cân i'r Ynys Werdd' aeth â fi i'r Ynys Werdd hefyd maes o law.

CÂN I'R YNYS WERDD

Er na fu erioed arni ôl fy nhroed,
Hi yw fy ynys o gân,
Er na welais wên ar ei thraethau hen,
Hi yw fy lodes fach lân.

CYTGAN
Rho fy llaw ddydd a ddaw ar y llynnoedd llonydd draw,
Af ar daith lawer gwaith, drwy'r canrifoedd lliwgar llaith
I'r Ynys Werdd.

Er na chollais i gariad yn Nhralee,
Yno mae cyfoeth y byd,
I Fae Gallway'r awn 'nôl ryw hir brynhawn,
Dyfroedd Killarney a'u hud.

Er na welais i fachlud ar y lli,
Clywais fod aur ar y don,
Pan fo'r Shannon dlos yn goleuo'r nos,
Crwydraf i'r ynys fwyn hon.

Roedd hyn i gyd wedi digwydd ar yr un adeg â'r hysbysebion ar gyfer *Cân i Gymru*. Fe benderfynais anfon dwy gân i mewn i'r gystadleuaeth, sef 'Cân i'r Ynys Werdd' a chân arall, 'Y Ferch o Gefn Ydfa', a oedd hefyd wedi ei chyfansoddi gan Richard ac Arwel. Fe ganais y ddwy ar dâp a dau ddiwrnod cyn dyddiad cau'r gystadleuaeth eu hanfon i mewn i Gwmni Apollo, oedd yn gyfrifol am raglen *Cân i Gymru* bryd hynny.

Rwy'n cofio meddwl ar y pryd, hyd yn oed os na fydde un o'r caneuon yn llwyddo, y bydde 'da fi ddwy gân dda ar gyfer y CD newydd. Aeth y cyfan o'm meddwl i wedyn, a dweud y gwir.

Ymhen pythefnos daeth galwad ffôn rhyw noson gan Emyr Afan, cynhyrchydd y rhaglen, yn dweud wrtha i fod 'Cân i'r Ynys Werdd' wedi llwyddo i ddod drwodd i'r wyth olaf yn y gystadleuaeth. Rwy'n cofio fe'n dweud shwd y bu pendroni hir uwchben yr ail gân yn ogystal gan fod y beirniaid yn hoff o honno hefyd, ond 'Cân i'r Ynys Werdd' gafodd ei dewis. Wel, dyna beth oedd sioc; o'n i'n methu credu'r peth. Ffoniais Richard yn syth i ddweud wrtho; roedd y ddau ohonon ni mor ecseited. Ar ôl rhoi'r ffôn i lawr, ffonio Arwel wedyn ac Arwel yn dweud yn ei ffordd hamddenol ei hun, 'Wel wel, da iawn'.

’Sa i’n meddwl ei fod e wedi sylweddoli ar y pryd beth o’n i wedi dweud wrtho fe. Mewn ychydig dyma Meinir, gwraig Arwel, yn ffonio fi ’nôl.

‘Odi Arwel wedi clywed yn iawn?’

‘Odi,’ atebais, ‘mae “Cân i’r Ynys Werdd” wedi ei dewis i fod yn un o’r wyth ola!’ Roeddwn i wedi cynhyrfu’n lân, ac yn edrych ymlaen. Roeddwn i mor falch o gael y cyfle i gymryd rhan yn y gystadleuaeth.

Y cam nesaf oedd mynd lawr i Abertawe i gwrdd â Mal Pope a’r band, gan mai fe oedd Cyfarwyddwr Cerdd y rhaglen. Yn ei stiwdio ef yn Abertawe cefais gyfle i ymarfer gyda Mal a’r band. Roeddwn yn teimlo ei bod hi’n bwysig i gadw at naws werinol y gân, ac fe ddwedais i hynny wrtho fe. Doedd dim angen rhyw fand mawr yn cyfeilio; roedd y gân yn syml a bydde gormod o offerynnau’n cymhlethu’r gân heb eisiau. Mae cân syml yn aml yn llawer mwy effeithiol wrth geisio cyfleu teimlad ac emosiwn.

Y flwyddyn honno roedd y gystadleuaeth i’w chynnal yn y Neuadd Fawr ym Mhontrhydfendigaid. Roedd dydd Mawrth, 28 Chwefror, yn ddiwrnod oer iawn. Roeddwn wedi cyrraedd Pontrhydfendigaid er mwyn ymarfer gyda’r band ac o flaen y camerâu gan fod y gystadleuaeth yn cael ei darlledu’n fyw y diwrnod canlynol ar ddydd Gŵyl Dewi. Wrth ymarfer fe gwrddais â gweddill y cystadleuwyr, yn eu plith y grŵp Celt, Bryn Fôn, Brychan Llŷr, Dafydd Dafis ac Arwel Gruffudd. Roedd ’na ganeuon hyfryd yn y gystadleuaeth. Rhaid cofio wrth gwrs taw cystadleuaeth i gyfansoddwyr yw *Cân i Gymru* ac roeddwn i moyn canu'n dda er mwyn Richard ac Arwel ac er mwyn cyfleu yn gywir naws y gân. Roeddwn yn sylweddoli taw un cyfle fydde ar gael gan fod y rhaglen i'w darlledu'n fyw.

Fe aeth yr ymarferion yn iawn ac erbyn hyn roeddwn yn barod am y gystadleuaeth. Roeddwn wedi derbyn lot o flodau a chardiau gan bobl oedd yn dymuno'n dda i mi ac roedd hynny'n neis iawn. Ar y ffordd lan i Bontrhydfendigaid ar fore'r gystadleuaeth fe alwais i mewn yn Llanllwni gyda Linda fy chwaer ac fe gefais ddaffodil i'w wisgo gan Heulwen a Gareth, plant Linda,

'Gwisga hwn i ganu,' medde Heulwen. 'Fe ddaw e â lwc i ti!'

Roedd yn ddiwrnod oer iawn eto, a'r cymylau'n bygwth eira. Roedd yn rhaid i fi ymarfer yn fy nghot yn ystod y prynhawn gan ei bod mor oer. Tua diwedd y prynhawn es i allan i gael ychydig o awyr iach ac roedd hi'n bwrw eira'n drwm a minnau'n becso na fydde neb o'r gynulleidfa'n gallu cyrraedd drwy'r eira. Roedd bysys i fod i gyrraedd o bob cwr o Gymru er mwyn cefnogi'r noson. Ond fe ddaeth y bysys a'r bobl ac fe lanwyd y neuadd yn llawn i'r ymylon.

Erbyn hyn roedd yn amser i fi newid i fy nillad yn barod ar gyfer y gystadleuaeth. Roedd yr artistiaid i gyd yn barod y tu cefn i'r llwyfan a Nia Roberts yn barod i ddechrau cyflwyno'r noson. Roedd pawb yn nerfus erbyn hyn ac yn ffaelu aros i'r cyfan ddechrau. 'Cân i'r Ynys Werdd' oedd y seithfed mas o'r wyth cân i'w canu yn nhrefn y rhaglen, felly roedd yn rhaid i fi aros fy nhro yn amyneddgar. Roeddwn yn gwisgo trwser du a blowsen wen a rhyw wasgod ddu, ac wrth gwrs y daffodil a gefais gan Heulwen a Gareth y bore hwnnw. Cyn troi rownd roedd y foment wedi cyrraedd ac un o'r criw teledu'n fy ngalw ymlaen ac yn dweud wrtha i am ddod ymlaen i'r llwyfan gan y byddwn i'n canu'r gân yn syth ar ôl yr hysbysebion. Roeddwn yn nerfau i gyd ond yn benderfynol o fynd amdani. Roedd cynulleidfa'n aros, pobl o bob cwr o Gymru'n edrych ar y rhaglen ac roeddwn i'n mynd i roi o 'ngorau. Roedd yr holl oriau o berfformio ers yn groten fach, yr holl brofiad o weithio cynulleidfa, yr holl ymarfer llais, wedi fy arwain at y foment arbennig hon yn fy ngyrfa.

Roedd y cyfansoddwyr i gyd yn eistedd o'm blaen yn y rhes gyntaf a Richard ac Arwel yn eu plith, y ddau yn wên o glust i glust. Roedden nhw'n dangos rhyw glip bach o hanes Richard ac Arwel a'r gân, ac yna, clywais Nia Roberts yn dweud, 'Rhowch groeso i Gwenda Owen!'

A dyma fi'n canu'r gân ac roeddwn wrth fy modd. Roedd y band yn wych ac ar noson oer iawn roedd naws gynnes y gynulleidfa'n fy nghodi ac yn fy nghynnal. Roedd yna awyrgylch arbennig y noson honno.

Ar ôl perfformio'r wyth cân roedd yna gyfle wedyn i'r gwylwyr gartref fwrw pleidlais. Awr o seibiant cyn bod yn rhaid i'r artistiaid a phawb arall ddychwelyd i'r neuadd i glywed y canlyniad. Diflannodd yr awr 'na mor glou, a chyn i ni droi rownd roedd yr artistiaid i gyd yn sefyll yn un rhes ar ochr y llwyfan yn aros am y canlyniad. Yn gwmws fel ma' nhw'n gwneud yng nghystadleuaeth Miss World! Dyna brofiad rhyfedd, ac rwy'n cofio meddwl fydde dim ots os nag o'n i wedi ennill, roeddwn i wedi gwneud fy ngorau, ac allwn i ddim gwneud mwy na hynny. Roeddwn i'n falch 'mod i wedi cael cyfle i ganu.

Wel dyma'r pleidleisiau'n dechrau dod mewn a phan ddaeth Nia at gân rhif saith fe ddwedodd hi, 'Cyfanswm y pleidleisiau yw dwy fil . . . a 'sa i'n cofio clywed y gweddill. Ro'n i'n methu credu'r peth. Roedd y gynulleidfa ar eu traed, y lle yn llawn tensiwn, 'Cân i'r Ynys Werdd' ar y blaen a Nia Roberts yn dweud, 'Shht, Shht, mae 'na un gân ar ôl.'

Bryn Fôn oedd wedi canu'r wythfed gân. Roedd yn gân hyfryd: 'All carreg ddim rhoi gwaed'. Daeth y bleidlais olaf i fewn ond roeddwn i wedi ennill! Fe ddaeth un o'r criw ata i yn syth a rhoi meicroffôn yn fy llaw ac rwy'n cofio gofyn, 'Y fi wedi ennill?'

'Wyt!' medde fe gan wherthin. O'n i'n ffaelu credu'r peth. Dyna lle roeddwn i'n chwerthin ac yn llefen ar yr un pryd, a mewn sioc! Roedd Arwel a Richard erbyn hyn ar y llwyfan yn derbyn eu gwobr o £3,000 o bunnoedd a thlws, a finne'n gorfod dal fy ngwynt rhywsut a mynd 'nôl i'r llwyfan i ganu'r gân eto i gloi'r rhaglen. Roedd y cyfan fel breuddwyd, cael camu i'r llwyfan i ganu'r gân oedd wedi ennill *Cân i Gymru* 1995.

Cân i Gymru. Richard Jones, fi ac Arwel John gyda'r tlws hardd.

Cyn mynd gartre'r noson honno roedd yn rhaid galw yn y Talbot yn Nhregaron er mwyn dathlu'r fuddugoliaeth. Roedd pawb yno'n dod ymlaen i'n llongyfarch i. Os oes rhywun yn moyn gwybod shwd deimlad yw e i ennill *Cân i Gymru*, byddwn i'n dweud fod yn rhaid ei fod yn debyg iawn i sgorio cais yn Stadiwm y Mileniwm wrth chwarae rygbi dros Gymru.

Yn yr wythnosau oedd yn dilyn roedd y cyfryngau'n ffonio i fy ngwahodd i berfformio ar y radio a'r teledu – roedd y peth yn cynyddu fel pelen eira. Ar y nos Sadwrn ar ôl ennill y gystadleuaeth roeddwn i wedi addo canu mewn Noson Lawen ym Mhontarddulais. Ond fe ddaeth gwahoddiad gan gwmni teledu i ganu ar raglen a oedd yn cael ei darlledu'n fyw ar y nos Sadwrn honno! Bu'n rhaid i mi wrthod y gwaith teledu gan fy mod eisoes wedi addo canu yn y Noson Lawen. Doedd cynhyrchydd y rhaglen ddim yn hapus iawn fy mod i yn ei wrthod ond fe esboniais yr amgylchiadau ac ymddiheuro, ac fe ddwedais i wrtho fe, 'Pobl sydd wedi helpu fi i ennill *Cân i Gymru*, nhw oedd yn pleidleisio drosto' i a heb gefnogaeth pobl fel nhw fyddwn i ddim yn canu o gwbl, heb sôn am ennill *Cân i Gymru*, a nhw sy'n dod gyntaf!' Whare teg i'r cynhyrchydd fe ofynnodd i fi ganu ar y rhaglen y nos Sadwrn ganlynol yn lle hynny.

Ar ôl yr holl gyffro i gyd roeddwn yn edrych ymlaen yn awr at ymweld â'r Ynys Werdd er mwyn

Yr Ŵyl Ban Geltaidd, Tralee.

Llond bws o gefnogwyr.

cynrychioli Cymru yn yr Ŵyl Ban Geltaidd yn Nhralee ym mis Ebrill y flwyddyn honno. Ar Ebrill 18, gadawodd llond bws o gefnogwyr o Gwm Gwendraeth a dod gydag Arwel, Richard a fi yr holl ffordd i Tralee. Bws o garej Gwyn Williams oedd yn mynd â ni, a 'nghefnder i, Graham, yn gyrru'r bws. Dyna beth oedd sbort; roedd e mor hyfryd cael cymaint o gefnogaeth. Roedd y daith ar y bad yn ofnadwy; roedd hi'n stormus iawn ac roeddwn yn teimlo'n eitha sâl erbyn cyrraedd yr ochr draw. Ond erbyn cyrraedd Tralee roeddwn yn teimlo'n well ac yn edrych ymlaen at y gystadleuaeth a oedd i'w chynnal y diwrnod wedyn ar nos Fercher, Ebrill 19, yng Ngwesty'r Brandon yn Nhralee. Roedd un beirniad o bob gwlad ar y panel beirniadu ac, wrth gwrs, nid oedd hawl gan unrhyw feirniad i bleidleisio dros ei wlad ei hun.

Roedd y noson yn cael ei darlledu'n fyw ar y radio yn Iwerddon. Roedd yn noson fawr a theimlais mai braint ac anrhydedd oedd cael cynrychioli Cymru yno. Fi a'r band oedd y cyntaf i ganu ac roeddwn yn benderfynol o wneud fy ngorau. Rwy'n cofio trio meddwl fy mod mewn cyngerdd ac nid mewn cystadleuaeth. Unwaith y clywais yr arweinydd yn fy nghyflwyno mewn Gwyddeleg, dechreuais ganu. Roedd yn noson arbennig ac fe gefais gyfle i wrando ar weddill y caneuon o'r gwledydd eraill a'u mwynhau'n fawr; fel mae'n digwydd, roedd tinc gwerinol i bob un ohonyn nhw. Roedd yn hyfryd cael cefnogaeth yn y gynulleidfa a'u gweld i gyd yn eistedd yno. Wedi i'r gystadleuaeth orffen daeth yn amser i glywed y canlyniadau ac roedd dyfalu'r canlyniad yn anodd iawn gan fod gan bob cân rywbeth arbennig i'w gynnig. Roedd yn feirniadaeth ystyrlon iawn gyda phob beirniad yn gwneud pwyntiau gwerthfawr – ond dyna lawenydd pan gyhoeddwyd mai 'Cân i'r Ynys Werdd' oedd yn fuddugol. Roedden ni i gyd mewn tipyn o sioc eto ac roedd yr awyrgylch yn wych a'r llond bws o gefnogwyr wrth eu bodd, pawb yn gwisgo crysau chwys gwyrdd gyda bathodyn *'Cân i'r Ynys Werdd' Tralee 95* wedi ei frodio arnynt ac yn chwifio baneri'r ddraig goch.

Mae cystadleuaeth a rhaglen *Cân i Gymru* yn llawer mwy o beth yng Nghymru nag yw cystadleuaeth yr Ŵyl Ban Geltaidd yn Nhralee. Y flwyddyn honno roedd yr ŵyl yn dathlu chwarter canrif ers ei sefydlu ac mae'n drueni na fydde criw teledu wedi gallu dilyn y gân fuddugol i Iwerddon er mwyn dangos i weddill Cymru beth ddigwyddodd i'r gân yn yr Ŵyl Ban Geltaidd. Mae e fel dewis cân i'n cynrychioli ni yn yr *Eurovision Song Contest* a wedyn methu â dangos y gystadleuaeth ei hunan. Ond roedd yn fraint cael cynrychioli Cymru yn yr Ŵyl ac fe fydd y profiadau yn yr Ynys Werdd yn aros gyda fi am byth.

Rai misoedd yn ddiweddarach, erbyn Eisteddfod yr Urdd yng Nghrymych, roedd y CD newydd, *Dagre'r Glaw*, wedi cyrraedd y siopau, ac roedd 'Cân i'r Ynys Werdd' arni. Mae ennill cystadleuaeth a'r sylw sydd yn dilyn hynny'n gallu eich helpu chi 'mlan yn eich gyrfa. Fe fuodd yn help mawr i fi, yn bendant, ac roedd gwerthiant y CD newydd yn brawf o hynny.

Ond y tu ôl i brysurdeb bywyd a'r llwyddiant, roedd 'na dristwch ac roedd straen fy mhriodas yn dechrau dangos. Pen draw'r cyfan oedd ysgariad, ac fe symudais yn ôl i Gwm Gwendraeth gyda Geinor a Gari.

Gari a Geinor.

Dad yn helpu i ail-wneud Capel Ifan.

Ond mae'n rhyfedd sut y daeth popeth rhywsut at ei gilydd. Roedd Dad a Mam wrthi'n ymddeol o Gapel Ifan i'r Tymbl a daeth cyfle i brynu'r fferm. Ac fel'na buodd hi: cyn i mi wybod roeddwn yn ôl unwaith eto yn byw ar y fferm lle cefais innau fy magu.

Roedd y blynyddoedd nesaf yn gyfnod o atgyweirio'r tŷ. Fe dynnon ni'r cwbl yn ddarnau a'i adnewyddu o'r top i'r gwaelod. Bu'n rhaid i ni fynd i fyw gyda Dad a Mam yn y Tymbl am gyfnod hir tra bod y gwaith yn mynd ymlaen, ac roedd Dadi i lawr bob dydd yn helpu i gael y lle yn barod.

Ar yr un pryd roeddwn yn fwy bishi nag erioed yn canu. Erbyn 1999 roedd casgliad newydd o ganeuon gwreiddiol wedi eu rhyddhau ar CD newydd, sef *Teithio 'Nôl*, unwaith eto gyda recordiau Fflach. Ar yr un adeg roeddwn hefyd yn gweithio ar *Pobol y Cwm* ac yn teithio'n ddyddiol i Gaerdydd i wneud hynny. Rwyf wedi cael rhannau actio ar sawl rhaglen ers hynny ac wedi mwynhau; mae'n hollol wahanol i ganu. Wrth ganu ar lwyfan mae'n rhaid i chi fod yn hollol onest, a rhannu rhan ohonoch chi eich hunan. Ond mae actio'n rhoi cyfle i wisgo mwgwd a bod yn rhywun arall am gyfnod, ond roedd e'n brofiad hyfryd. Erbyn hyn roeddwn i yn y busnes yn llawn amser, yn actio ac yn canu. Mae'n fusnes rhyfedd iawn ar adegau ac mae'n rhaid derbyn y gwaith wrth iddo ddod. Hyd yma, rwy wedi bod yn lwcus iawn ac wrth i un peth orffen fan hyn mae 'na rywbeth arall yn dechrau fan draw.

Cefais wahoddiad yn 1999 i gyflwyno fy nghyfres radio fy hunan ar gyfer Radio Cymru. *Cwrdd â'r Cerddor* oedd enw'r rhaglen ac fe roddodd gyfle i mi grwydro Cymru gyfan i gwrdd ag amrywiaeth eang o artistiaid, ond eu cyf-weld yn rhywle roeddwn i'n hollol gyfarwydd ag e, sef cefn y llwyfan, ychydig funudau cyn iddyn nhw gamu mas i wynebu'r gynulleidfa. Fe fydda i'n meddwl weithiau taw cefn y llwyfan yw'r lle mwya unig yn byd. Mae'n deimlad sy'n wir i bob perfformiwr, siŵr o fod. Does dim ots faint o baratoi fuodd, gallwch chi sefyll fan'na gyda'r *ingredients* i gyd – caneuon da, y band iawn, y ddawn i ganu a'r awydd i berfformio'n llosgi fel tân yn eich bola – ond ar ddiwedd y dydd, r'ych chi ar eich pen eich hunan. Chi sy'n gorfod mynd mas i wynebu'r dorf. Yn aml yn ystod y munudau hirion 'na, a finne'n nerfus cyn wynebu'r gynulleidfa, byddaf yn meddwl am Megan yn dweud, 'Dere, wyt ti cystal ag unrhyw un arall, dere 'mlan', ac yn ychwanegu, 'Paid â meddwl dy fod yn well na neb, ond cofia dy fod ti cystal â nhw.' Mae'r geiriau yna wedi fy nghynnal wrth i fi aros yn unigrwydd sawl *dressing room* yn aros am yr alwad i gamu mas i'r llwyfan a wynebu'r dorf.

Dylan Wyn o BBC Bangor oedd yn cynhyrchu'r gyfres honno ac roedd yn gyfres wahanol a gwreiddiol. Rwy'n hoff iawn o gyflwyno ond mae'n grefft wahanol eto ac mae radio mor wahanol i'r teledu. Mae'r radio'n fwy gonest, rhywsut; dim ond chi a'r meicroffon ac mae'r sgwrs a'r glonc yn cario'r cyfan. Gweledol yw'r teledu, wrth gwrs, ac mae'r broses o greu'r lluniau'n gallu bod yn un hir iawn. Chi'n deall beth wy'n gweud? Does dim angen *lipstick* i weithio ar y radio!

Roeddwn yn canu ym mhob math o lefydd, o neuaddau crand i siediau gwartheg oer, mewn ambell garej ceir fel Gravelle's yng Nghydweli, a barbeciws ar ffermydd amrywiol. Rwy'n cofio canu un noson yn nhafarn y Tri Chwmpas yng Nghrwbin mewn noson gafodd ei threfnu gan Grwydriaid Crwbin. Roeddwn i'n canu ar ben treilar tu fas i'r dafarn, a phawb yn y pentref mas ar y sgwâr yn gwrando. Ond mae pob noson yn wahanol a'r sialens bob tro yw deall y noson a darllen y gynulleidfa. Mae'r gynulleidfa'n newid o ardal i ardal ac yn gwahaniaethu o ran ei natur a'i chymeriad. Ambell waith mae'r dorf gyda chi'n syth, ac r'ych chi'n teimlo'r cynhesrwydd yn syth, ond weithie mae'n rhaid gweithio'n galed arnyn nhw. Y gyfrinach yw peidio ag ildio: mae'n gallu bod yn anodd ar adegau ond os 'wy wedi dysgu un peth ar lwyfannau dros y blynyddoedd, rhaid i chi gymryd pobl fel maen nhw yw hynny. Does dim dal arnyn nhw; gallen nhw fod yn dawel drwy'r nos ac yn gwrando'n ofalus; dro arall mae'n galetach a gallwch chi ddechrau amau a ydych wedi llwyddo i'w cyffwrdd nhw o gwbl, ond cyn i chi orffen maen nhw ar eu traed yn gweiddi, 'Mwy'. Yn aml byddaf yn dweud wrth Geinor i beidio â rhoi mewn na digalonni os yw'r gynulleidfa'n dawel, 'Fe gewn ni nhw cyn y diwedd, cei di weld.'

A diolch byth, fynychaf maen nhw'n dawnsio o'n blaen cyn diwedd y noson. Mae pobl Cwm Gwendraeth yn bobl agored iawn ac yn barod bob amser i ymuno a mwynhau ond dyw pawb ddim yr un peth ac yn hynny mae'r sialens bob tro. Mae 'na bleser rhyfedd i'w gael wrth weld pobl yn mwynhau fy nghaneuon; mae gweld cynulleidfa'n eu canu nhw gyda fi neu'n dawnsio iddyn nhw'n fwynhad pur, a gweld ambell un yn gwybod pob gair o'r caneuon. 'Wy wedi bod mor ffodus i gwrdd â phobl arbennig yn fy nghyngherddau dros y blynyddoedd a llawer ohonyn nhw erbyn hyn yn ffrindiau da, ac yn ffyddlon tu hwnt. Os bydd cyngerdd yn eu hardal nhw maen nhw yno'n cefnogi.

Rwy'n dueddol o fod yn anghofus iawn: mae Dad yn dweud yn aml y byddwn i'n anghofio 'mhen os nad oedd e'n sownd. Rwy'n cofio un tro roeddwn i wedi cario'r *amplifier* mas a daeth rhywun 'mlan i sgwrsio â mi. Rhoddais yr *amp* lawr i siarad ac erbyn diwedd y sgwrs roeddwn i wedi anghofio popeth amdano. Dyma fi'n dringo mewn i'r car a gyrru bant – a rhyw chwarter awr wedi hynny, cofio fod yr *amplifier* wedi ei adael ar lawr y maes parcio. Diolch byth, roedd e'n dal yno erbyn i mi gyrraedd yn ôl i'w nôl e!

Mae'n rhyfedd beth sy'n gallu digwydd ar lwyfan. Roeddwn yn canu rhywle un noson ac os na dorrodd strapen y gitâr, a'r gitâr yn cwympo i'r llawr. Wel, fe ges i bwl o chwerthin nes 'mod i'n ffaelu stopio ac roedd y lle'n llawn o bobl yn edrych arna i. Chi'n gwybod weithie pan 'ych chi'n gwybod eich bod chi ddim i fod i chwerthin a chi'n methu peidio? Fel'na oedd hi'r noson honno. Rwy'n gallu cydymdeimlo'n llwyr â'r bobl sy'n gorfod edrych arnyn nhw eu hunain ar *It'll be alright on the night*.

Cefais wahoddiad unwaith i arwain Cymanfa Fodern yng nghapel Hermon, Llan-non, ac roedd Mam wedi bod yn pregethu wrtha i i gofio gwisgo sgert i arwain gan fy mod i'n gwisgo trowsus fynychaf. Wel dyma fi'n cyrraedd Hermon yn gwisgo sgert ychydig uwchben fy mhen-glin, yn barod i arwain y noson. Wrth i mi gerdded i mewn i'r capel dyma un o'r trefnwyr yn fy ngalw fi ato er mwyn cael gair bach am drefn y noson. Wrth i mi gerdded draw, os na gydiodd fy nheits wrth ochr un o'r seti. Wel, odd 'da fi dwll anferth yn fy nheits du, a finne'n meddwl: alla i byth fynd lan i'r pulpud i arwain y gymanfa gyda twll mawr yn fy nheits! Ond beth allen i wneud?

Wedes i wrth y trefnydd, ''Wy wedi cael twll mawr yn fy nheits.' Dim ond chwerthin wnaeth e. Wedyn, fe ges i syniad: roeddwn yn 'nabod Lynne oedd wrthi'n chwarae'r organ ac fe alwais hi draw. Roedd hi wrthi'n chwarae ar y pryd ar gyfer y bobl oedd wedi cyrraedd yn barod, a dyma hi'n stopo whare a dod draw. Roedd hi'n gwisgo ffrog hir ac fe ofynnes iddi hi a oedd hi'n gwisgo teits. Diolch i'r drefn ei bod hi, ac fe gytunodd hi eu benthyg nhw i fi, gan na fydde neb yn gallu gweld y twll yn y teits dan ei ffrog hir hi. A dyma'r ddwy ohonon ni'n mynd mas i'r festri a gofyn i bawb a fydde'n bosibl iddyn nhw fynd mas am ychydig er mwyn i ni'n dwy gyfnewid teits, a dyma fi'n cerdded lan i'r pulpud gyda set o deits du perffaith. A fel'na buodd hi, Lynne yr organyddes yn gwisgo fy nheits i a thwll ynddyn nhw a finne'n gwisgo teits Lynne. Does dim rhyfedd 'mod i byth yn gwisgo sgert!

Dro arall roeddwn yn canu mewn cyngerdd Dydd Gŵyl Dewi yn Llandrindod ac eisoes wedi gosod y system sain yn ei lle. Rhoddais y gitâr i bwyso yn erbyn y piano oedd ar y llwyfan ac wrth i mi gerdded ar y llwyfan i gymeradwyaeth y gynulleidfa ac estyn am y gitâr, fe gwympodd a thorri. Roedd gwddw'r gitâr wedi torri yn ei hanner. Doeddwn i ddim yn gwybod beth i'w wneud, ond dyma ryw berson caredig yn y gynulleidfa, oedd yn byw gerllaw, yn cynnig mynd adre a dod 'nôl â'i gitâr ef i mi ei defnyddio. Tra oedd e'n 'nôl ei gitâr dyma fi'n cario 'mlaen, a chanu tair cân yn ddigyfeiliant. Fel dwedodd Mrs Lake, fy athrawes Gymraeg, flynyddoedd cyn hynny, 'Does dim ots beth sy'n digwydd, cariwch chi ymlaen i ganu!'

Cyngor da iawn!

Mae'r nosweithiau'n amrywio o ran eu natur. Weithiau byddaf yn canu gyda band llawn ac mae hynny'n wahanol iawn i ganu gyda chyfeilydd ac yn brofiad hyfryd iawn. Pawb yn gweithio fel uned, ac mae angen y band yn llawn mewn nosweithiau mewn sioeau haf neu ddawnsfeydd neu nosweithiau priodas. Mae fy nghanu'n dod o'r enaid, rhywle, ac yn adrodd stori. Caneuon ydyn nhw sy wedi cofnodi profiade pobl ac mae'n rhaid eu dehongli nhw fel'na. Mae'r caneuon yn dod yn rhan ohonof fi; mewn ffordd, maen nhw'n perthyn i fi. Mae'n broses mor bersonol â hynny.

Ac mae'r canu wedi bod yn gymaint o help ar lwybr fy mywyd i. Trwy law a hindda a thrwy gyfnodau anodd a blin fe roddodd y canu a'r llwyfannau hyder i mi a'r cryfder mewnol a'r hunanhyder sy'n rhaid ei gael er mwyn gallu wynebu cynulleidfaoedd. Rwy wrth fy modd o flaen cynulleidfa ac rwy'n hoffi pobl. Mae Dadi'n aml yn adrodd stori amdana i'n un fach yn canu ar lwyfan ym Mhontyberem. 'Wel, roedd hi'n cael cymaint o hwyl, gorffodd rhywun ddod i dynnu hi bant,' medde fe. Roeddwn i'n joio cymaint. Does gyda fi ddim cywilydd o hynny; ar lwyfan wrth rannu cân fe ffeindiais fy lle, a dyna le rwy'n hapus ac yn gyfforddus, yn canu i fyw ac yn byw i ganu.

Rwy wedi bod yn ffodus yn fy ngyrfa ac wedi llwyddo i gadw'n brysur. Mae'r busnes yma'n gallu bod yn ansefydlog iawn a does dim sicrwydd beth sy'n mynd i ddod nesa nac o ble daw'r gwaith. Ond mae hynny hefyd yn eich cadw chi ar flaenau eich traed.

Mae'n bwysig i fod yn wreiddiol hefyd ac mae'n hyfryd cael canu caneuon gwreiddiol, rhai sydd wedi eu cyfansoddi ar fy nghyfer i, neu rai y byddaf wedi eu cyfansoddi fy hunan. Bydda i'n dweud yn aml wrthof fy hunan, 'Reit, mae'n rhaid eistedd lawr heddi a dechrau cyfansoddi.'

Ond yn amlach na pheidio dyw e ddim yn gweithio mor rhwydd â hynny. Rwy'n cofio clywed Gerry Marsden un tro yn siarad am sut y daeth i gyfansoddi 'Ferry across the Mersey', un o ganeuon pop y chwe degau cynnar. Roedd e'n cerdded ar lan yr afon gyda'i gariad ac fe sylwodd ar y fferi'n dod i mewn i harbwr Lerpwl o gyfeiriad Penbedw ac fe ddaeth pum nodyn i'w ben a'r ymadrodd yna, 'Ferry across the Mersey'. Rhuthrodd i ddod o hyd i ffôn a ffonio gartref a gofyn i'w fam i roi'r recordydd tâp i fynd, ac fe ganodd e'r alaw i lawr y ffôn i'w fam.

Yn aml rwy wedi bod yn y car yn gyrru i rywle ac fe ddaw rhywbeth i mi; rwy'n dechrau canu rhyw alaw, ac mae'n rhaid i minnau hefyd ruthro i ffeindio tâp a'i recordio cyn iddi ddiflannu o 'nghof.

Rwy'n mwynhau canu yn fy nhafodiaith fy hun hefyd. Mae hynny'n bwysig i fi oherwydd ei fod yn naturiol ac yn onest ac yn dod o'r galon. Yn aml ar ôl cyfansoddi rhywbeth byddaf yn ei chanu'n gyntaf i'm ffrind, Catrin Rees, ac yn gofyn am ei hymateb pan fydd hi'n galw draw. Mae Catrin yn ffrind da ac yn hoff iawn o gerddoriaeth, yn ffrind digon da i ddweud ei barn yn onest am y gân.

Mae caneuon yn gallu bod yn bethau rhyfedd iawn. Mae nabod cân yn debyg iawn i'r broses o nabod pobl. Gallwch chi hala amser i ddod i nabod cân a theimlo eich bod wedi llwyddo, ond wrth ei chanu a'i pherfformio, teimlo rhywbeth newydd yn y gân bob tro. Mae'n debyg iawn i edrych ar ryw ddarlun trawiadol lle r'ych chi'n sylwi ar rywbeth newydd ar bob edrychiad.

Pan fydd rhywun yn gofyn i fi beth yw fy hoff gân, fe fydda i'n gorfod dweud yn onest eu bod nhw i gyd yn agos ata i. A'r hoff un? Un o'r diweddara bob tro, fel y babi newydd!

DECHRAU BRWYDRO

Beth mae'r hen ddihareb 'na'n ddweud, 'Deuparth gwaith ei ddechrau'? Wel, y broblem wrth adnewyddu hen dŷ yw gwybod ble i orffen. Roedd Capel Ifan angen ei adnewyddu ac wrth gwpla un peth roedd hi'n dod yn amlwg fod angen gwneud rhywbeth arall. Roedd yn rhaid ceibio'r lloriau i gyd oherwydd lleithder ac roeddwn yn awyddus i ddangos yr hen 'beams' ymhob ystafell lle roedd hynny'n bosibl. Mae'r hen dŷ yma a'i hanes yn mynd yn ôl dros bedair canrif a mwy, ac unwaith ddechreuwch chi dynnu carreg mas o hen wal mae sawl un arall yn dod yn rhydd.

Rwy'n berson sentimental iawn yn y bôn ac roedd yn hyfryd darganfod pethau wrth dynnu'r hen dŷ yn ddarnau. Fe ffeindion ni hen le tân anferth yn yr ystafell fyw gyda lintel fawr bren yn mynd o un ochr i'r llall, ac i mewn yn yr ochr, hen ffwrn gerrig a fydde'n cael ei defnyddio flynyddoedd yn ôl i bobi bara. Ac ynghanol y ffwrn roedd darnau o lo, ie, glo du yn disgleirio cymaint fel mod i'n gallu gweld fy adlewyrchiad ynddo. Glo o bwll Pentre Mawr oedd hwn, go debyg. Roedd yn gwmws yr un peth â'r glo y byddwn i'n chwarae ac yn sgathru arno yn blentyn ar y tip glo ar waelod Cae Tip. Cedwais ryw dri darn o'r glo o'r hen ffwrn ac maen nhw nawr wedi cael lle anrhydeddus mewn dishgyl ar y lle tân. Wrth i ni dynnu'r hen *ceiling* i lawr yn y gegin fe ffeindion ni becyn o sigaréts heb ei agor. Mae Dad a Mam yn cofio hen staer gerrig yng nghornel y gegin, oedd yn mynd lan i'r lofft uwchben. Dyna mae'n debyg oedd ystafell y gwas, a fe, pwy bynnag oedd e, a guddiodd y sigaréts 'na ac yna anghofio amdanynt. A dyna lle buon nhw nes i ni eu ffeindio nhw eto flynyddoedd mawr yn ddiweddarach.

Roedd dydd Sadwrn y degfed o Ebrill, 1999, yn ddiwrnod fel pob diwrnod arall, ond mae'n ddiwrnod fydd yn aros gyda fi am byth. Roedd y gwaith yn dod ymlaen yn dda yn y tŷ a'r diwrnod hwnnw roeddwn i wrthi'n tynnu rhyw hen deils *polystyrene* oddi ar *ceiling* y pasej. Roedden nhw wedi bod yno ers blynyddoedd ond doedden nhw ddim yn rhan o'r cynllun newydd oedd 'da fi ar gyfer Capel Ifan. Roedd Dad a Mam a Geinor a Gari'n helpu i dynnu'r teils gyda fi, ac yna yn sydyn wrth ymestyn, fe deimlais ryw bigad yn fy mron. Diflannodd y boen yn syth, ond fe es i lan ar unwaith i'r ystafell ymolchi ac edrych i weld a oeddwn i'n medru gweld neu deimlo rhywbeth yno. Wrth i mi edrych fe deimlais i ryw dwlpyn; doedd e ddim yn grwn fel pelen fach ond yn dwlpyn hir, fel siâp rhyw lygoden fach.

Fe ddywedais i'n syth wrth Mam. Mae'n anodd

weithiau i wybod oes twlpyn yno ai peidio. D'ych chi ddim yn gwybod yn iawn am beth ddylech chi fod yn chwilio. Ond roedd e yno, yn galed iawn, er nad oedd e ddim yn boenus o gwbl. Dyma Mam yn dweud wrtha i i fynd i weld y meddyg yn syth. Y noson honno fel mae'n digwydd, fe alwodd fy ffrind Linda heibio, a chan ei bod hi'n nyrs fe ddwedais wrthi hi hefyd am y twlpyn, a'r un oedd ei chyngor hi – dylwn fynd i weld y meddyg yn syth. Dydd Sadwrn oedd hi ac fe fydde'n rhaid aros tan ddydd Llun i weld y meddyg, ond roedd y twlpyn yna ar fy meddwl i drwy'r penwythnos. Roedd hi'n anodd canolbwyntio ar unrhyw beth arall ac fe fyddwn, wrth chwilio amdano, yn amau weithiau a oedd e yno ai peidio. Beth bynnag, fe ddaeth bore Llun ac fe es i'n syth at y meddyg, peth cynta. Edrychodd arno a gofynnodd i mi godi fy mraich er mwyn iddo weld o dan fy nghesail. Gofynnodd i mi ers faint oedd y twlpyn wedi bod yno ac atebais mai newydd ei ddarganfod e ar y dydd Sadwrn cynt o'n i. Fe gadarnhaodd e fod y twlpyn yno a'i fod yn seis diogel, a bod y gland o dan fy mraich wedi chwyddo hefyd; fe drefnodd i mi fynd i weld yr arbenigwr yn Ysbyty Llanelli. Fel ymhob man mae'n rhaid aros, ond ar ôl rhyw wythnos fe gefais apwyntiad i fynd i weld yr arbenigwr. Fel mae'n digwydd, doedd y *consultant* ddim ar gael ar y diwrnod hwnnw, ac fe gefais weld meddyg arall oedd yn gweithio yn y clinic gyda fe. Gofynnodd i mi orwedd ar y gwely er mwyn iddo fe roi sgan i mi. Yn syth ar ôl iddo orffen sganio'r fron fe ddywedodd wrtha i fod 'da fi ddim achos i boeni gan mai *fatty tissue* oedd 'da fi a dyna i gyd. 'It's a fibro-adenoma. Don't worry, a lot of girls have it'! Gofynnais yn ôl, 'Will it go away?' 'No,' medde fe, 'I don't think so'.

Doedd hi ddim yn anodd iddo fe weld 'mod i'n pryderu am y peth ac fe ofynnodd i mi, 'Why are you so worried?' Atebais gan ddweud fod Mam wedi cael cancr y fron dair blynedd ynghynt a bod chwaer fy nhad, sef Anti Joyce, wedi colli ei bywyd oherwydd cancr y fron a hithau ond yn 53 mlwydd oed. Roedd hanes o gancr yn y teulu o'r ddwy ochr, felly. Roeddwn i'n teimlo fod hynny'n ddigon o gyfiawnhad dros boeni. Yr ateb ddaeth yn ôl oedd, 'Well that doesn't mean that you'll get it.' Rwy'n ei gofio fe'n dweud, 'You're only 33 years old, young people like you don't get cancer.' Ond doeddwn i ddim yn hapus, ac fe ofynnais a fydde'n bosibl i mi gael *mammogram* er mwyn gwneud yn siŵr. Fe ddwedodd e nad oedd llawer o bwynt i mi gael *mammogram*, gan nad oedd e ddim yn gweithio mor dda ar ferched ifanc. Dyna fe, fe oedd y meddyg ac roedd yn rhaid i mi dderbyn ei air ef, ond roedd e'n gweld 'mod i'n dal yn bryderus ac fe ddwedodd e, 'Come back again in six weeks and I'll check you again.'

Roedd Linda fy ffrind wedi dod gyda fi yn gwmni y diwrnod hwnnw ac wrth i mi gerdded mas o'r ysbyty fe gydiodd ynddo i'n dynn a dweud, 'Diolch byth, ti'n iawn!'

Rwy'n cofio'r teimlad o ryddhad ar ôl cyrraedd gartref, ac roedd bywyd yn cario ymlaen fel arfer. Mae'n rhyfedd o beth, ond bob dydd roedd y twlpyn yna ar fy meddwl i. Beth oedd e, a pham oedd e yna o gwbl?

Chwe wythnos yn ddiweddarach roeddwn yn ôl yn Ysbyty Prince Philip yn wynebu'r un meddyg. Cefais sgan arall ganddo ac fe ddywedodd yr un peth eto, 'It's fatty tissue, and it's smaller now than the last time I saw you.' Wel os oedd e'n gallu ei deimlo fe'n llai, o'n i'n ffaelu ac fe ofynnais i eto am gael *mammogram*. Y tro yma fe fodlonodd, gan ychwanegu, 'There is no point in you coming back to see me because the *mammogram* should be fine.' Roeddwn i'n meddwl y byddwn i'n siŵr o gael gwybod pe bydde'r *mammogram* yn dangos rhywbeth.

Dyw bywyd byth yn aros yn ei unfan ac roedd yr amser yn prysuro ymlaen. Yn ogystal â *Pobol y Cwm*, roeddwn yn fishi'n canu ac erbyn hyn wedi dechrau cyflwyno cyfres *Cwrdd â'r Cerddor* ar Radio Cymru a hwnnw'n mynd â fi i bob cwr o'r wlad i gwrdd ag amrywiaeth o artistiaid er mwyn eu cyf-weld ar gyfer y rhaglen. Ond ynghanol y prysurdeb roeddwn i'n dal i gerdded o gwmpas yn cario'r twlpyn ac yn dal i fecso amdano. Y peth cynta y byddwn i'n ei wneud bob bore oedd edrych i weld oedd e'n dal yno. Ac wrth i un wythnos redeg i mewn i'r nesaf roedd y twlpyn yn caledu ac yn tyfu.

No news is good news, meddai'r Sais. Doeddwn i ddim wedi clywed dim am ganlyniadau'r *mammogram* ac yn credu y bydde rhywun yn siŵr o gysylltu a 'ngalw i 'nôl i weld y meddyg os oedd rhywbeth mawr o'i le. Wedi'r cyfan roeddwn i'n teimlo'n hollol iach ac yn brysur bob dydd wrth fy ngwaith. Ond roedd y twlpyn yn tyfu ac fe benderfynais yn y diwedd i ffonio'r meddyg teulu i weld a oedden nhw efallai wedi derbyn canlyniadau'r *mammogram*. Na oedd yr ateb, ond fe ffacsiwyd llythyr o'r feddygfa i'r ysbyty y diwrnod hwnnw i ofyn am hanes canlyniad y *mammogram*.

Erbyn hyn roedd hi'n agosáu at ddiwedd Gorffennaf. Unwaith eto mae'r diwrnod yn glir iawn yn fy nghof. Roedd yn ddiwrnod cyn recordio'r *Noson Lawen* ar ffarm Cwm Eynon ym Mhedair Heol. Daeth galwad ffôn i mi oddi wrth y nyrs yn Uned Gofal y Fron yn Ysbyty Llanelli i ddweud eu bod nhw wedi anfon y *mammogram*s i '*Gofal y fron Cymru*' a'u bod nhw wedi gweld cysgod ar y *mammogram*! Roeddwn i'n grynedig iawn wrth roi'r ffôn i lawr ond doedd dim i'w wneud ond aros i gael gweld y meddyg eto. Er 'mod i'n teimlo'n grynedig roedd yn rhaid bod yn gryf a treial cario 'mlan gyda 'mywyd. Bydde Dad yn dweud, 'Aros i gael gweld nawr, paid â mynd o flaen gofid nawr, Gwen'.

Fe es i'r diwrnod wedyn draw i Gwm Eynon i recordio'r *Noson Lawen*. Mae Clive a Mairwen Hughes, perchenogion y ffarm, yn ffrindiau da a bydd

104

hi bob amser yn hyfryd i'w gweld nhw, ond roedd yna bwysau mawr y tu ôl i'r wên y diwrnod hwnnw, a gofid y tu ôl i'r gân. 'Sa i'n gwybod shwd des i i ben ond fe ddaeth nerth o rywle i wynebu'r diwrnod a recordio'r noson. Y flwyddyn honno roedd yr Eisteddfod Genedlaethol yn cael ei chynnal yn Ynys Môn ac roeddwn i wedi cytuno i ganu yno. Roedd yn rhaid i mi gadw at fy addewid a lan â fi yr holl ffordd i ganu yno.

Y peth cyntaf fydda i'n ei wneud wrth ddod 'nôl i fewn drwy'r drws cefn yw rhoi'r peiriant ateb i fynd er mwyn gwrando ar y negeseuon, ac ar ôl gyrru'n ôl o Eisteddfod Môn y diwrnod hwnnw roedd 'na neges arno wedi ei gadael gan Uned Gofal y Fron yn Ysbyty Prince Philip yn gofyn i mi ddod y dydd Llun canlynol, sef Awst 9, i weld y meddyg. Rwy'n cofio'r dyddiad yn iawn, diwrnod pen-blwydd Linda, fy chwaer.

Fe ges i *mammogram* arall ar y diwrnod hwnnw ac ar ôl iddyn nhw edrych arno fe, gofynnodd y meddyg i mi a oeddwn i'n fodlon iddyn nhw rhoi *biopsy* i mi. Roedd yn rhaid iddyn nhw roi nodwydd i fewn i'r twlpyn er mwyn cymryd darn ohono a'i yrru bant i wneud profion arno. Ar ôl iddo wneud y biopsy fe ofynnodd i mi ddod yn ôl ar y dydd Iau er mwyn derbyn y canlyniadau. Erbyn hyn roeddwn yn nerfus iawn. Roedd hi nawr yn fis Awst ac roedd y twlpyn yma wedi bod yn tyfu ers mis Ebrill. Roeddwn yn dawel fach yn trio perswadio fy hunan nad oedd e'n rhywbeth cas, ond chi'n nabod eich corff eich hunan. Roedd hwn yn rhywbeth oedd ddim i fod yna, a ta beth oedd e, o'n i'n gwybod fydde'n rhaid iddo fe ddod o'na! Roeddwn i wedi dechrau arfer â'i gwmni e erbyn hyn ac yn siarad mas yn agored amdano gyda'n chwiorydd a'r teulu a bydde Mam yn gofyn, 'Odi'r lwmpyn 'na gyda ti o hyd?'

Roedd Linda'n moyn gwybod shwd beth oedd e, ac a o'n i'n dal i allu ei deimlo fe yr un mor fawr a'r un mor galed. Roedd e *yn* fawr ac yn galed ac yn dal i dyfu. Roedd y meddyg a roddodd y sgan i mi yn y lle cyntaf yn ôl ym mis Ebrill a Mai wedi dweud wrtha i fod y sgan yn glir ac roedd yn rhaid i fi ddal yn sownd at hynny. Ond yn ddwfn ynof i rhywle roedd yna anesmwythyd, y teimlad hwnnw sy'n dod yn reddfol i chi pan 'ych chi'n gwybod nad yw pethe ddim yn iawn. Er nad oedd unrhyw boen yn gysylltiedig ag e roedd e wedi dechrau gadael ei ôl arna i a 'nhynnu i lawr, oherwydd 'mod i'n gofidio.

Ond fe ddaeth dydd Iau, Awst 12. Roedd gyda fi apwyntiad am hanner awr wedi pedwar gyda'r arbenigwr, Mr Holt, yn Ysbyty Llanelli, er mwyn clywed y canlyniadau. Dyna beth od yw eisiau mynd, a ddim eisiau mynd, ar yr un pryd; roeddwn yn cael fy nhynnu gan deimladau croes graen, yn moyn y canlyniad, yn moyn clywed fod popeth yn iawn ond yn ofni'n ofnadwy ar yr un pryd.

Daeth Deris gyda fi, ac ar ôl eistedd am ryw ddeng munud daeth y nyrs i'n nôl ni, a mewn â ni'n syth i ystafell Mr Holt – dyn tal, urddasol, hyderus a chwrtais ei ffordd. Ysgydwodd law â Deris a fi a gofyn i ni eistedd. Roeddwn i'n gallu clywed fy nghalon yn carlamu ac roedd e'n siŵr o allu gweld yr ofon yn fy ngwyneb i. Mae'n anodd trio esbonio, ond o'r eiliad es i mewn i'r ystafell honno roeddwn i'n gwybod beth roedd e'n mynd i ddweud wrtha i; roedd e i'w weld yn holl osgo'i gorff ac roedd ei lygaid glas wedi dweud y cyfan cyn iddo agor ei geg. Daeth y geiriau fel ergyd, 'Right, let us go back to the start. You came here first of all in April. . .' O'n i'n gwybod beth oedd i ddilyn! 'I'm very sorry to tell you, but you have a malignant tumour.'

O'n i'n teimlo 'mod i wedi cael fy mwrw gan ryw lwyth o goncrit blocs! O'n i wedi rhewi yn y fan a'r lle, yn methu symud. O'n i'n teimlo'n ddiffrwyth ac yn wan drosta i i gyd. Mae'n anodd esbonio gwagedd y foment honno, ond mae'n eiliad sy'n ddealladwy i bawb sydd wedi gorfod eistedd mewn ystafell feddygol i glywed y geiriau hynny. O'n i'n gwybod yn iawn ei fod yn siarad gyda fi, ac amdana i, ond roedd hi'n teimlo'i fod e'n siarad am rywun arall. Ar ôl tawelwch a barodd am oes, fe ofynnodd Deris, 'Do you mean to tell me that Gwenda has breast cancer?'

'Yes,' medde fe yn ôl, 'I'm very sorry.'

Aeth ymlaen wedyn i siarad am y driniaeth y bydde'n rhaid i mi ei hwynebu a'i hwynebu ar unwaith. *Chemotherapy* a fydde'n parhau am chwe mis ac yna'r llawdriniaeth. Mae ysgrifennu am y profiad yma flynyddoedd yn ddiweddarach yn dal i ddod â'r teimladau o wendid yn ôl i mi. Roeddwn yn crynu drostof erbyn hyn ac fe ddwedais wrtho, 'Why don't you operate now, I'll have a masectomy now. I don't want to carry this lump for six months!'

'No, it's safer to do it this way,' oedd ei ateb.

'You are young, only 33 years old and the tumour is very large. The chemotherapy treatment is given first in order to shrink the tumour before we operate.'

Fe aeth ymlaen i esbonio mor gyfrwys yw cancr a chan fy mod yn ifanc fod y cancr yn gallu lledu'n llawer cynt, a dyna pam fod yn rhaid i'r *chemotherapy* ddod yn gyntaf. Ar ôl clywed y gair *chemotherapy* ac yntau wedi esbonio mor fawr oedd y twlpyn, fe gefais nerth o rywle a mentrais ofyn iddo fe, 'Is there any point in me having this chemotherapy at all? I have two children at home and I want to know if I'm going to live.'

Wedodd Deris yn syth, 'Shht, shht, paid â gofyn shwd beth.' Ond roedd yn rhaid i mi gael gwybod.

'Well,' medde fe, 'you've been sitting out there in the waiting room with people who have exactly the same illness as you and they're alive and well.' Fe gododd hynny fy nghalon a rhoi llygedyn o obaith i mi. Aeth Mr Holt ymlaen i esbonio fod y cancr yn *lobe* y fron ac y bydde'n rhaid i mi ddechre cymryd tabledi *Tamoxifen* ar unwaith er mwyn lleihau yr hormôn *oestrogen* yn fy nghorff. Roedd yr *oestrogen* yn bwydo'r cancr ac fe fydde'r cyffur hwn yn ei gadw yn yr unfan a'i atal rhag lledu. Cefais wybod y bydde'n rhaid i mi gymryd y tabledi dros gyfnod o bum mlynedd. Gofynnais iddo fe, 'Why have I had this? I've never smoked and I don't drink either.'

'Gwenda,' medde fe 'nôl, 'if I knew that I would be a millionaire!' Roedd ei ddwy lygad e'n edrych yn syth arna i, a finnau'n teimlo bod y ddaear yn siglo odanof i. Roeddwn yn crynu erbyn hyn, mewn sioc. Ac fe ddwedes i wrtho, 'My life now is in your hands.' O'n i'n gwybod fod yn rhaid i mi wrando arno fe, a derbyn ei gyngor. Fe aeth e drwy'r broses gyda fi ac ar ôl iddo orffen esbonio daeth Debbie, nyrs gofal y fron, i fy nôl i a mynd â fi i mewn i'r ystafell drws nesaf i gael sgwrs bellach. Roedd hi'n anodd llyncu popeth; roedd y cyfan yn digwydd mor glou a minnau'n credu fod diwedd y byd wedi dod. Mewn ffilmiau ar y teledu roedd pethau fel hyn yn digwydd, nid mewn bywyd go-iawn – ac yn bendant ddim yn fy mywyd i!

Rwy'n cofio wedyn cerdded mas o'r ysbyty, a Deris gyda fi. O'n i'n teimlo'n rhy wan i gerdded, bron, ac fe ddywedais wrth Deris fod yn rhaid i fi ffonio gartref. Roedd Mam a Dad yn y tŷ gyda Gari a Geinor, yn disgwyl i fi ddod adre ac yn aros am newyddion, ac roeddwn yn gwybod y bydden nhw ar bigau'r drain yn aros. Fe gydiais yn y ffôn symudol heb wybod yn iawn beth o'n i'n mynd i ddweud wrthyn nhw. Shwd 'ych chi'n rhannu newyddion fel yna? Dyma'r ffôn yn dechrau canu a chlywais i lais Mam ar y ffôn yn dweud, 'Helô, Gwen?'

'Ie, Mam,' ddwedes i. 'Ma' gyda fi'r un peth â ti ond fi'n mynd i fod yn iawn. Fydda i 'nôl nawr,' a rhoi'r ffôn i lawr. Doedd dim mwy i'w ddweud.

Roedd hi'n bwrw glaw ar y diwrnod hwnnw ac ar ôl cyrraedd 'nôl i'r car dyma fi'n dechrau llefen peth a Deris yn mynd drwy bopeth oedd Mr Holt wedi'i ddweud wrtha i. Roedd goleuadau traffig ar sgwâr Llannon, wy'n cofio, a thra ein bod ni'n dwy'n eistedd yna'n aros am y golau gwyrdd, fe drodd Deris ata i a dweud, 'Gwenda, os oes rhaid i ni fynd i'r lleuad i dy wella di, fe ewn ni!'

Erbyn i ni gyrraedd yn ôl yng Ngapel Ifan roedd Dad a Mam a'r plant yn sefyll yn y drws ffrynt yn fy nisgwyl i. Fe gydiodd Mam ynof i a llefen, a Dad druan yn llefen pwll y glaw. Eisteddon ni i gyd i lawr yn yr ystafell ffrynt a dyma fi'n gwneud fy ngorau i esbonio'r driniaeth iddyn nhw. Chwe mis o *chemotherapy*, wedyn y llawdriniaeth. Do'n i ddim yn llefen ar y pryd ond roedd pawb arall yn gwneud, a 'wy'n cofio dweud wrthyn nhw, 'Peidiwch â llefen, 'wy'n mynd i fyw!'

Ond wrth ddweud y geiriau rwy'n cofio fy mod yn teimlo'n *numb* drosta i i gyd. Roedd Geinor wedi mynd lan llofft ac o'n i'n galw arni hi i ddod lawr. Yn y diwedd fe es i lan ati hi, a dyna lle roedd hi'n eistedd ar y gwely ac yn llefen a llefen. 'Pam ti, Mam?' 'Wy'n ei chofio hi'n dweud. 'Pam ti, 'so ti wedi gwneud drwg i neb. Pam 'yt ti wedi ei ga'l e?'

''Sa i'n gwybod,' medde fi yn ôl, 'Ond 'wy'n mynd i wella!'

Mae Linda fy chwaer yn byw yn Llanllwni ac fe ddaeth hi i lawr yn syth i 'ngweld i. Roedd hi'n anodd iawn iddi hi. Ar yr wyneb mae hi'n berson allblyg, llawn o sbri, ond doedd dim sôn am wên y diwrnod hwnnw. Fe ddwedodd hi drosodd a throsodd, 'Mae'n rhaid i ti fynd i gael triniaeth.' Roeddwn yn gallu clywed yr ofn yn ei llais ac yn ei weld yn hollol glir yn ei llygaid. Roedd hi'n ymladd ac yn brwydro i dreial bod yn ddewr ac yn gryf drosta i.

Yn hollol wahanol i'r misoedd a fu, roedd popeth nawr yn digwydd mor gyflym. Ar fore dydd Gwener daeth nyrs gofal y fron i 'ngweld i a mynd drwy'r broses 'da fi unwaith eto. Roedd yn gymorth mawr oherwydd roedd pethau wedi – ac yn – digwydd ar shwd ras, roedd yn anodd ei gymryd e i gyd i mewn a minnau'n dal mewn sioc.

Roeddwn i am wybod a oedd rhywun arall wedi cael yr un math o gancr â mi, ac ar brynhawn dydd Gwener galwodd Ira Williams a'i merch, Tina, ffrind i mi, heibio i 'ngweld i. Roeddwn yn gwybod fod Ira wedi cael cancr y fron ddwywaith ac roeddwn mor falch o gael siarad â hi. Buom yn sgwrsio am oriau, a darganfod mai *lobular cancer* yr un fath â fi gafodd hi. Roedd hi'n rhannu ei phrofiadau gyda mi ac roedd ei gweld hi'n edrych mor iach yn cynnig gobaith newydd i mi, ac roedd Ira i weld mor bositif am bopeth. Roeddwn i'n meddwl i mi fy hunan, os gall Ira wella, wel ma' 'na obaith i fi, ac fe lynais i wrth hynny drwy'r cyfan.

Cyn dechrau unrhyw driniaeth roedd yn rhaid mynd i gael dwy sgan ac roedd hyn i fod i ddigwydd ar y dydd Llun a'r dydd Mawrth canlynol. Pwrpas y sgans oedd edrych er mwyn gweld a oedd y cancr wedi lledu i rywle arall yn y corff. Os oedd popeth wedi teimlo fel breuddwyd ers derbyn y newyddion yn yr ysbyty gan Mr Holt, roedd y disgwyl o'r dydd Iau hyd fy mod yn cael y canlyniadau ar nos Fawrth yn hunllef! Roedd popeth yn mynd drwy fy meddwl. Beth os bydd e wedi lledu? Faint o obaith fydde 'da fi? Beth fydde'n digwydd i'r plant? Erbyn hyn roedd pobl yn galw a'r ffôn yn canu'n ddiddiwedd. Roedd Mam a Dad wedi dod i lawr i aros gyda ni ac yn cysgu yn ystafell Geinor, ond doeddwn i ddim yn gallu cysgu o gwbl. Fe orweddais drwy nosweithiau hir y penwythnos hwnnw yn poeni a phoeni am ganlyniadau'r sgans. Roeddwn i'n gwybod fod y cancr wedi bod yn fy nghorff ers mis Ebrill, amser hir iawn, a digon o gyfle iddo fe ledu drwy'r corff i gyd. Roeddwn yn teimlo fy mod wedi colli rheolaeth ar fy mywyd, ac yn dawel bach fe godais i o 'ngwely a mynd i mewn i ystafell Geinor lle roedd Dad a Mam yn cysgu. Roedden nhw ar ddihun 'fyd, ac fe ddwedes i, 'Ma' ofon arna i. Beth os yw e wedi lledu?' Fe es i mewn i orwedd gyda Mam a Dad. Roeddwn i'n teimlo fel plentyn eto, ac yn methu credu ei fod e'n digwydd i fi, ac roeddwn i'n teimlo fel rhedeg a rhedeg er mwyn dianc oddi wrth y cancr. Ond doedd dim dianc i fod; ble bynnag y byddwn i'n mynd fe ddele'r cancr gyda fi.

Ar y dydd Llun es i Ysbyty Llanelli i gael sgan ar yr afu a'r ysgyfaint a'r diwrnod wedyn lan i Ben-y-bont ar Ogwr i gael sgan ar yr esgyrn. Ar ôl diwrnod hir yn Ysbyty Pen-y-bont ar y dydd Mawrth hwnnw, roedd yn rhaid teithio 'nôl i Ysbyty Llanelli i gwrdd â Mr Holt yn Ward 7 er mwyn derbyn canlyniadau'r profion. Cydiodd Deris yn fy llaw, a dweud, 'Ta beth fydd Mr Holt yn dweud wrthon ni nawr, bydd rhaid i ni wynebu fe!' Roedd Deris fel rhyw *safety pin* yn cadw popeth at ei gilydd. Byddaf yn ddiolchgar tra 'mod i, am ei chymorth a'i chadernid hi y pryd hynny.

O'n i wedi bod yn gweddïo bob nos i gael nerth a ffydd i wella a nawr roedd y foment fawr dyngedfennol wedi cyrraedd. Roedd Mr Holt yn ei ystafell yn disgwyl amdanom. Roedd yn gwrtais fel y bydd e o hyd ac ar ôl ysgwyd llaw â'r ddwy ohonon ni, gofynnodd i ni eistedd. Roeddwn yn crynu drwydda i i gyd a dyma fe'n dal y lluniau yn erbyn y wal ar bwys y golau ac yn edrych yn ofalus ar y llun o'i flaen. Lluniau o 'nghorff i, y lluniau oedd yn dal dirgelwch fy nyfodol i! Torrodd llais Mr Holt ar draws y tawelwch llethol:

'Your bone scan is fine!'

Roedd Deris a minnau'n gwasgu dwylo'n dynn.

'Your chest X-ray and liver scan are fine!'

Trodd Mr Holt ata i a gwenu. Byrstiodd Deris a minnau mas i lefen mewn rhyddhad.

Er fy mod yn gwybod fod brwydr hir yn fy wynebu, es i gartref yn y car y noson honno gan ddweud, 'Reit, mae'r bêl yn ein dwylo ni nawr!'

Mr Simon Holt.

Roedd 'na ryddhad mawr gartref hefyd a'r ffôn yn canu bob munud gyda ffrindiau a pherthnasau am wybod beth oedd y canlyniadau a beth oedd i fod i ddigwydd nesaf. Ar fore dydd Gwener roedd gyda fi apwyntiad yn Ysbyty Singleton yn Abertawe i weld Dr Joannides. Fe oedd y meddyg oedd yn mynd i fod yn gyfrifol am y driniaeth *chemotherapy*. Daeth Deris gyda fi, ac Ifan Davies, ffrind i'r teulu sydd wedi cael triniaeth *chemotherapy* ei hunan ers rhai blynyddoedd; mae pawb yn ei nabod e fel Ifan JCB. Rwy'n cofio, wrth gyrraedd, eistedd yn y car a meddwl, beth 'wy'n neud fan hyn? Ble chi'n mynd â fi? Yna cerdded i mewn i'r ward a gweld pobl yno heb wallt, gweld crwt mewn cadair olwyn, a theimlo 'mod

114

i mewn breuddwyd eto. Dyma fi'n troi at Ifan a Deris a dweud, 'Fi'n moyn mynd gartre, beth 'wy'n neud fan hyn? 'Sa i'n dost, sdim poen 'da fi.' Ifan wedodd yn ôl, 'Gwenda, wyt ti wedi dod yma i wella.'

Pan fydd gyda chi boen fe fyddwch yn falch o gael gweld meddyg, ond doedd dim poen arna i o gwbl. O'n i'n llefen erbyn hyn ac rwy'n cofio eistedd yna yn edrych ar yr holl bobl yma'n sâl o nghwmpas i a meddwl, ''Wy'n bownd o fod yn ferch dost iawn bo' fi'n gorfod dod i le fel hyn.' Mewn ychydig fe alwodd y nyrs fi a mynd â fi i mewn i gwrdd â'r dyn oedd yn mynd i dreial achub fy mywyd i, Dr Theo Joannides.

Dr Theo Joannides.

Dyn byr yw Dr Joannides, a lliw ei groen yn cadarnhau ei fod yn hanu o dras Roegaidd. Llygaid golau, caredig a gwên hawddgar ar ei wyneb. Ysgydwodd fy llaw a gofyn i mi eistedd cyn dechrau holi am hanes y twlpyn, ac ar ôl i mi orffen rhoi'r stori'n llawn, fe ymchwiliodd y fron a dweud wrtha i, 'The tumour is very large, and you also have an enlarged lymph gland under your arm. The tumour is six and a half centimetres in length.' Cyn i mi allu dweud na gofyn dim byd, fe ychwanegodd, 'Do you know that it's serious, what you've got?'

'Yes,' medde fi, 'but you're going to make me better.'

Fe atebais fel'na oherwydd dyna beth o'n i am iddo fe ddweud wrtha i. Roeddwn i'n gwbod mai ond trwy ei driniaeth e y bydde gwella i fod. Mae Dr Joannides yn ddyn annwyl tu hwnt ac yn ei ffordd dyner ei hun fe ddwedodd e, 'The treatment is going to be very intense, and you will have one treatment every three weeks.' Fe ychwanegodd e, 'Are you willing to take it?'

'Do I have a choice?' gofynnais i. Atebodd ar ei union, yn fyr ac i'r pwynt, 'No, there is no choice.' Esboniodd ei fod yn mynd i roi cymysgedd o dri chyffur i mi, ei bod yn driniaeth newydd ac arloesol a'i fod am ei thrio hi mas ar rywun ifanc fel fi. 'If that doesn't work,' medde fe, 'I can try something else on you.'

Aeth yn ei flaen i esbonio'r broses, sut y bydde'n

116

rhaid lleihau'r twlpyn drwy ddefnyddio'r driniaeth *chemotherapy*. Roedd yn rhaid i hyn ddigwydd cyn y bydde'n bosibl cael llawdriniaeth i'w symud o'i le. Bydde'r *chemotherapy*'n cymryd chwe mis ac yna bydde'r llawdriniaeth yn codi hanner y fron neu efallai'r fron i gyd yn ôl y gofyn. Wedi hynny bydde'n rhaid cael *radiotherapy* yn ddyddiol am gyfnod o bump wythnos i orffen y driniaeth. Wedyn fe ddechreuodd siarad am sgil-effeithiau'r driniaeth, fy mod i'n mynd i deimlo'n sâl ac yn wan iawn, ac y byddwn, yn ôl pob tebyg, yn colli fy ngwallt. Roedd hynny'n anodd iawn i'w dderbyn. Rwy'n hoffi fy ngwallt ac yn ei dorri a'i liwio'n gyson. Chefais i ddim amser i feddwl mwy am hynny, cyn iddo ddweud, 'The tumour is very large, so I want to start the treatment as soon as possible. Tuesday,' medde fe yn yr un gwynt.

Dydd Mawrth! Dyma fi'n dechre llefen fel na fyddwn i byth yn mynd i stopio. Fe gydiodd yn fy llaw a dweud, 'Gwenda, you think positive all the time.' O'n i'n sylweddoli erbyn hyn fod yna gyfnod anodd o 'mlan i, a thipyn o fynydd i'w ddringo. Roeddwn yn mynd i deimlo'n sâl hefyd oherwydd cryfder y cyffuriau y bydde eu hangen er mwyn lladd y twlpyn 'ma. Doedd dim dewis 'da fi, roedd yn rhaid i fi ymladd, ac ymladd yn galed. Daeth nerth o rywle y bore hwnnw gyda Dr Joannides. Roeddwn i'n mynd i lynu wrth y dyn hwn; fe oedd yr unig obaith oedd 'da fi i wella, ac o'n i'n ei drystio fe gyda 'mywyd.

Ar ôl gweld Dr Joannides aeth Ifan a Deris â fi draw i'r uned *chemotherapy* i gwrdd â Sister Anwen a'r criw fydde'n gofalu amdanaf. Roedd Anwen yn siarad Cymraeg ac roedd hynny, a'i gwên serchog, yn gwneud i fi deimlo'n agos ati hi yn syth. Roedd Anwen ar y pryd yn edrych ar samplau carpedi gan fod uned *chemotherapy* newydd ei hadeiladu, ac roedd yn rhaid dewis y carpedi ar gyfer pob ystafell. Roedd Ifan yn nabod Anwen ac fe eisteddon ni i lawr, y pedwar ohonon ni, i gael sgwrs.

Mae Anwen yn lyfli. Fe siaradodd fi drwy bob cam o'r broses a dweud wrtha i fod yna *cooling cap* i gael fydde'n help i gadw'r gwallt, efallai. Cap oer oedd e, yn dod yn syth o'r rhewgell, ac fe fyddwn yn gallu ei wisgo wrth gael y driniaeth *chemotherapy* gan ei fod

Staff yr Uned yn Singleton gyda Sister Anwen ar y dde.

yn rhewi celloedd y gwallt. Penderfynais yn syth y byddwn i'n rhoi tro arno fe ond fe rybuddiodd Anwen fi fod y cyffuriau o'n i'n mynd i'w derbyn mor gryf y byddwn i'n weddol sicr o golli 'ngwallt, cap neu beidio. Roedd gyda hi ffordd mor hamddenol o sgwrsio, yn fy mherswadio i o'r angen i feddwl yn bositif ac yn fy atgoffa fod lot o ferched yn gwella. Cefais fy nghyflwyno i'r staff i gyd a dechrau cael fy mharatoi ar gyfer y driniaeth oedd i ddechrau ar y dydd Mawrth canlynol, ond roedd yn ormod i'w gymryd i mewn; roedd y cyfan wedi digwydd mor glou.

Gartref, dros y penwythnos, roedd pobl yn galw ac yn ffonio drwy'r amser a minnau'n dal i deimlo fy mod yn rhan o ryw freuddwyd. Ddiwrnod cyn mynd i gael y driniaeth roedd Geinor a Gari wrthi'n trio fy nghysuro fod gyda fi wallt cryf a falle na fyddwn i'n ei golli wedi'r cyfan. Ond gwallt cryf neu beidio, roedd y *chemotherapy*'n siŵr o fod yn gryfach.

Daeth merch ifanc o Drefach i 'ngweld i hefyd. Doeddwn i ddim yn ei nabod hi cynt ac fe gyflwynodd ei hun i mi a dweud mai Linda oedd ei henw. Roeddwn i'n gallu gweld yn syth ei bod wedi cael triniaeth *chemotherapy* gan mai ychydig iawn o wallt oedd ganddi. Fe ddywedodd ei bod wedi galw gan ei bod yn meddwl y byddwn i'n falch o siarad â hi, gan ei bod hithau newydd orffen derbyn triniaeth ei hunan am gancr y fron. Roeddwn mor falch o'i gweld hi; merch ifanc oedd hi, dim ond ychydig yn hŷn na fi. Cefais gyfle i ofyn pob math o gwestiynau iddi am ei chancr hi a'i thriniaeth. Fe fuodd hi'n help mawr i fi oherwydd roedd hi'n siarad o brofiad, ac roedd hi wedi byw y peth; dim ond rhyw ddeufis ynghynt y gorffennodd hi'r driniaeth. Yn ei llaw roedd ganddi fag bach ac fe ofynnodd i fi, 'Would you like to see the wig that I had?' Fe dynnodd hi wìg allan o'i bag a'i wisgo ar ei phen. Roedd e'n edrych yn berffaith arni hi, a hithau mor browd ohono. Fe rannodd hi yn gwmws beth oedd hi wedi mynd drwyddo. Eglurodd sut roedd hi wedi ymateb i'r *chemotherapy* a chyfaddefodd ei bod yn teimlo'n sâl iawn ar adegau oherwydd y driniaeth, ac fe ofynnais iddi hi, 'Does it hurt? Were you in pain with it?'

Roedd yn anodd iawn iddi hi drio egluro sut fyddwn i'n teimlo wrth dderbyn y driniaeth ac rwy'n ei chofio hi'n dweud fod pawb yn ymateb yn wahanol iddo fe. Anghofia i byth mo'i charedigrwydd, yn mynd mas o'i ffordd i ddod draw er mwyn rhannu ei phrofiadau gyda mi. Ar ôl i mi gael y triniaethau *chemotherapy* bydde Linda'n galw draw i 'ngweld i ac yn aml iawn yn dod â rhyw *cream cake* er mwyn codi fy nghalon, a dyna lle bydde'r ddwy ohonom yn sgwrsio uwchben cwpaned o de a *cream cake*. Roedd Linda'n help mawr i fi ac mae 'na gwlwm rhyngon ni i'r dydd heddi na all neb ei ddatod.

Roedd dydd Mawrth, diwrnod y driniaeth, yn prysur agosáu ac fe ddwedais i wrth y plant ar y noson cynt, 'Reit, sdim rhagor o lefen i fod, mae'n rhaid i ni feddwl amdano fe yn bositif!' Fe ddaeth bore dydd Mawrth ac fe ddaeth yn amser i adael diogelwch Capel Ifan a mentro lawr i brysurdeb yr uned *chemotherapy* yn Ysbyty Singleton. Roedd y lle dan ei sang, yn llawn o bobl o bob oed wedi eu huno gan yr un frwydr yn erbyn yr afiechyd diawledig yma. Cyn dechrau ar y driniaeth fe gefais y *cooling cap* ar fy mhen er mwyn ceisio diogelu'r gwallt. Y peth cyntaf i fynd mewn i'r wythïen yn fy mraich oedd yr *anti-sicknes drip*, a wedyn tri llond syrinj, y *chemotherapy cocktail* a oedd, gobeithio, yn mynd i ddryllio'r twlpyn yn fy mron. Cefais ben tost dychrynllyd oherwydd y *cooling cap* oedd wrthi'n rhewi fy mhen i gyd, yn ogystal â chelloedd fy ngwallt. Yn yr un ystafell â mi roedd rhyw wyth o bobl eraill. Roeddwn yn treial fy ngorau i fod yn ddewr, ac yn eistedd gyferbyn â mi roedd gwraig a hithau hefyd yn gwisgo *cooling cap* am ei phen. Roedd ei gŵr gyda hi ac fe ddechreuodd siarad â mi yn Gymraeg. Gofynnais iddo o ble roedd e'n dod, ac fe ddwedodd ei fod yn dod o bentref Llanfyrnach.

'O ie, wy'n gwybod,' atebais. 'Ma' 'na gwmni lorris yno – Mansel Davies.'

'Ie,' wedodd e, 'fi yw mab Mansel Davies!'

Purita oedd enw ei wraig ac roedd hithau hefyd yn cael triniaeth *chemotherapy* am gancr y fron, ac o'r bore hwnnw ymlaen fe ddaeth y ddwy ohonom yn dipyn o ffrindiau. Ar ei thrydydd sesiwn yr oedd hi y bore hwnnw, ychydig ar y blaen i fi. Roedd hi'n ysbrydol iawn ac yn hollol bositif.

121

'We'll fight it together, Gwenda,' fydde hi'n dweud yn aml.

Roedd hi'n fenyw a digon o fynd ynddi hi, yn debyg iawn i fi mewn lot o ffyrdd, ac roedd y ddwy ohonom yn gwybod yn iawn fod yn rhaid i ni ymladd. Roeddem mewn ffeit am ein bywydau ac roedden ni'n dwy yn benderfynol o ennill. Byddwn yn gweld yr un wynebau bob tro wrth fynd i gael y driniaeth, ac mae'n rhyfedd meddwl fod yna bobl newydd yn dechrau ar driniaethau yno bob dydd. Dydd Mawrth oedd fy niwrnod i ar gyfer triniaeth fel arfer ac mae'n syndod, ond roedd yr uned yn trin yn agos at 55 o gleifion ar y diwrnod hwnnw'n unig. Ond er ei fod yn lle prysur roedd gan y staff amser i bob claf a doedd dim byd yn ormod iddyn nhw. Roedd eu gofal yn fawr am bob un ohonon ni.

Roedd hi mor neis i gyrraedd gartref ar ôl y driniaeth y bore cyntaf hwnnw. Es i'n syth i'r gwely, roeddwn i'n teimlo mor wan. Roedd y sgil-effeithiau yn bopeth y dywedon nhw y bydden nhw, a mwy. Roeddwn yn teimlo'n sic ac yn wan, yn teimlo fy nghorff yn drwm i gyd. Tebyg iawn i fod yn *seasick* fel ar y daith i'r Ynys Werdd flynyddoedd ynghynt, ond yn llawer gwaeth. Roedd e'n deimlad ofnadwy, teimlo mor wan, roedd e fel ei fod e'n digwydd i rywun arall a minnau'n edrych i lawr ar y cyfan, fel 'mod i'n nofio yn yr awyr. A chwysu, chwysu fel erioed o'r blaen; mae hynny'n un o sgil-effeithiau'r Tamoxifen, sef *flushes* a teimlo'n dwym drwydda i. Dyna mae'r

Tamoxifen yn ei wneud, lleihau yr *oestrogen* yn y corff a gwthio'r corff drwy'r *menopause* yn gynnar.

Erbyn rhyw wythnos ar ôl y *chemotherapy* roeddwn yn teimlo ychydig yn well ac yn cryfhau wrth i'r cemegau adael fy nghorff. Ond cyn bo hir roedd yn amser i wynebu'r ail sesiwn yn Ysbyty Singleton. Dyma'r wythnos y dechreuais i sylwi fod fy ngwallt yn cwympo mas. A chwympo mas oedd e 'fyd! Rwy'n cofio dihuno yn y bore a gweld gwallt yn drwch ar y gobennydd.

Roeddwn i wedi stopio gweithio, roedd hynny'n amhosibl i'w wneud, a bu'n rhaid i fi adael popeth a rhoi'r cyfan ar *hold*, ond ychydig cyn yr ail sesiwn *chemotherapy* daeth galwad ffôn gan Aled Glynne, pennaeth Radio Cymru, oedd yn ffonio i weld sut roeddwn i'n teimlo. Dywedodd bod yn flin 'da fe i glywed am fy nhostrwydd, a dechreuais ddweud shwd beth oedd e i fynd drwy'r driniaeth. Rwy'n cofio dweud wrtho fe 'mod i'n credu fod rhywbeth da yn dod mas o bob drwg a 'mod i, fel cyflwynwraig a chantores, yn gobeithio y bydde'r hyn oedd wedi digwydd i mi yn mynd i allu helpu pobl eraill oedd yn dioddef o gancr. O fewn ychydig ddiwrnodau fe dderbyniais lythyr gan Aled yn dweud ei fod wedi rhoi tipyn o feddwl i'r hyn a ddwedais wrtho ac yn gofyn i mi a fydde diddordeb 'da fi mewn gwneud dyddiadur o'n salwch i. *Audio-diary* yw'r term swyddogol. Fe bwysleisiodd yn y llythyr os nad oedd y syniad yn apelio i mi beidio â'i dderbyn.

Pan es i 'nôl rai diwrnodau'n ddiweddarach i gael yr ail driniaeth fe ddwedes i wrth Dr Joannides am y cynnig a gefais gan Radio Cymru. Fe ofynnais iddo fe'n blaen, 'What do you think I should do?'

Fe atebodd e'n syth, 'If you feel you can do it, then do it. It will help you because you will be talking about it, and it will also help others who are facing the same situation.' Roedd e'n teimlo mor bositif am y peth, ac ar ôl meddwl am ychydig fe benderfynais y bydde'n beth iawn i mi wneud. A fel yna y bu hi, fe gysylltais yn ôl ag Aled Glynne i ddweud fy mod i'n cytuno i fentro ar y peth a llunio dyddiadur o'r salwch. Fe ddwedodd wrtha i taw Huw Llywelyn fydde'n cynhyrchu'r gyfres. Roedd e'n gynhyrchydd profiadol ac eisoes wedi cynhyrchu rhaglenni trwm a dwys. Fe alwodd Huw i 'ngweld i rhyw brynhawn er mwyn cael sgwrs am y gyfres. Y broses oedd, ei fod am i mi gadw tri pheiriant recordio a rhoi un yn yr ystafell ffrynt lawr llawr, un lan llofft yn fy ystafell wely, ac un yn y car, er mwyn i mi recordio'r profiad i gyd. Bydden nhw wedyn yn ei olygu yng Nghaerdydd cyn ei ddarlledu ar y radio.

Roedd yn rhaid meddwl wedyn am rywun i gyflwyno'r gyfres ac fe ddaeth enw Garry Owen i'm meddwl i'n syth. Roeddwn yn nabod Garry ac yn hoff iawn ohono fe, fel person ac fel cyflwynydd radio a theledu. Mae ei ffordd hamddenol, agos-atoch-chi, yn apelio, ac roedd hynny'n bwysig i mi wrth i mi feddwl am geisio cadw dyddiadur o 'mrwydr i gyda'r afiechyd. Roedd yn gwbl angenrheidiol fod y cyflwynydd yn rhywun y byddwn yn gallu siarad yn hollol agored ag e. Roedd yna ddisgwyl hefyd i'r cyflwynydd orfod dod gyda mi ambell waith pan fyddwn yn mynd i dderbyn y driniaeth *chemotherapy*. A dyna'r rheswm dros ddewis Garry; roedd e'n rhywun y byddwn i'n gallu siarad yn gwbl agored ac yn hollol naturiol ag ef. Fe gytunodd Huw Llywelyn â mi yn syth taw Garry fydde'r person gorau i gyflwyno'r gyfres.

Roedd yn anodd iawn i fynd yn ôl i gael yr ail driniaeth 'na. Roeddwn i'n gwybod erbyn hyn beth fydde'r sgil-effeithiau ar ôl mynd adref. Mae'n

Garry Owen a fi yng nghegin Capel Ifan.

bwysig i mi ddweud fan hyn nad yw profiad pawb yr un peth; mae'r cyffur yn taro pobl mewn ffyrdd gwahanol a'r sgil-effeithiau, felly, yn wahanol hefyd. A dyw cyrff pawb ddim yr un peth chwaith: mae pawb yn ymateb yn wahanol. Doedd rhai ddim yn teimlo mor sâl â mi ar ôl cael *chemotherapy* ac wrth gwrs mae'n dibynnu hefyd ar ba gyffuriau maen nhw'n eu rhoi i chi. Fe ddysgais i beidio â chymharu fy salwch â neb arall; roedd hi'n braf i gael siarad â'r cleifion eraill oedd yno ac i gymharu nodiadau, ond roedden ni i gyd yn wahanol. Mae'r un peth â dal annwyd; gall dau ohonon ni ei ddal e ond mae profiad y ddau ohonon ni o'r annwyd yna'n gallu bod yn wahanol iawn. Ond wrth i mi eistedd gyda'r cleifion eraill yn yr ystafell byddwn i'n meddwl yn aml, sdim gwahaniaeth pwy 'ych chi, na beth 'ych chi, dyw cancr ddim yn ffysi. Roedd un peth yn ein huno ni i gyd, roedden ni i gyd yno yn brwydro â'r afiechyd ofnadwy yma.

Ar ôl yr ail driniaeth dyna ddiwedd ar fy ngwallt i – roedd e'n dod mas yn dwlpe dros y glustog yn y bore. Rwy'n cofio galw ar Geinor i ddod i helpu fi i olchi fe gan ei fod yn dod mas dros bob man, ac ar ôl gorffen ei olchi fe ddwedodd hi, 'Mam, 'so'r dŵr yn fodlon mynd lawr y sinc!' Fy ngwallt i oedd ar fai; roedd cymaint ohono'n dod mas roedd e wedi blocio'r sinc. Roedd yn anodd ei weld e'n dod mas fel'na. Roedd fy ngwallt yn bwysig i fi, fel y mae e i unrhyw ferch ifanc. Roeddwn i wrth fy modd yn ymweld ag Eleri er mwyn ei dorri

Effaith dwy sesiwn o *chemotherapy* yn dechrau gadael ei ôl.

yn ei salon, Salon Eleri, yng Nghaerfyrddin, ond nawr roedd e i gyd yn diflannu i lawr y sinc. Ond er mor ofnadwy oedd y profiad hwnnw, os taw pris i'w dalu er mwyn gwella oedd e, roedd yn well 'da fi golli fy ngwallt na cholli fy mywyd.

Mae Eleri yn ffrind da, a hi sy'n trin fy ngwallt i ers blynyddoedd bellach. Rwy'n un o'r bobl hynny sydd wrth eu bodd yn cael trin fy ngwallt – mae e'n donic! Byddaf yn ymlacio'n llwyr wrth fynd, ac mae'n gyfle ardderchog i roi'r byd yn ei le gydag Eleri. Ar ôl iddi glywed fy mod yn mynd i gael triniaeth *chemotherapy* fe ddaeth hi draw i 'ngweld i a dod â samplau o wallt golau gyda hi. Roedd hwn yn gam mawr i mi, amser meddwl cael wìg, a nawr roedd yn bryd dewis lliw ar ei gyfer. Ar ôl dewis y lliw roedd yn rhaid aros am ryw wythnos cyn i Eleri fy ngalw fi draw i'r salon i'w threial hi. Roedd hi'n berffaith! Mae'n rhaid i mi ddweud ei fod yn deimlad od iawn i'w gwisgo, ond fe ddwedodd Eleri, 'Cofia mai dim ond ti sy'n gwybod taw wìg yw e.' Fe ddwedodd hi'r gwir, 'sa i'n cofio faint o bobl ddaeth lan ataf i yn ystod fy salwch a dweud, ''So chi wedi colli'ch gwallt chi 'te?'

Roedd Eleri wedi torri'r wìg yn fyr, yn gwmws fel steil fy ngwallt i ar y pryd, ond er bod y wìg yn llwyddo i dwyllo pobl, roedd yn rhaid i mi ddweud y gwir a chyfadde 'mod i wedi colli 'ngwallt. Oherwydd fy ngwaith i siŵr o fod, mae 'ngwallt i'n bwysig i fi ac mae'n bwysig 'mod i'n edrych yn dda. Dyna pam roeddwn i'n teimlo na allwn i fynd mas heb ddim byd ar fy mhen. Efallai ei bod hi'n haws i ddyn, 'wy ddim yn gwybod; maen nhw'n colli eu gwallt yn naturiol neu yn ei siafo fe i ffwrdd.

Ond roedd y wìg yn edrych yn grêt. Roeddwn i'n edrych yn y drych ac roedd e'n edrych fel fy ngwallt i, ond ar yr un pryd roedd e hefyd yn cadarnhau gwirionedd y cancr oedd wedi ymosod ar fy nghorff i. 'Eleri,' ddwedais i, (roedd y ddwy ohonon ni yn edrych mewn i'r drych a'r dagre'n llenwi yn ein llygaid), 'meddylia 'mod i'n gorfod dod atat ti i gael wìg!' Fe atebodd Eleri, 'Cofia taw dros dro yw e, fe fyddi di 'nôl â llond pen o wallt cyn hir.'

Pan fydde rhywun yn galw ac yn cnocio wrth y drws fe fyddwn i'n mynd yn syth at y wìg neu i 'nôl het cyn ateb y drws. Roedd yn dibynnu pwy oedd yno, ond gyda'r rhan fwyaf o bobl byddwn i'n tynnu'r cap i ffwrdd yn syth. Beth yw gwallt ar ddiwedd y dydd?

Rywbryd yn ystod y driniaeth *chemotherapy* a minnau'n teimlo'n well, fe es yn ôl i weithio am ryw ddau ddiwrnod ar *Pobol y Cwm*. Fe es i mewn i'r gwaith yn gwisgo fy het ac ar ôl cyrraedd yr ystafell goluro roedd yr actores Beth Robert yno'n barod. Rwy'n cofio dweud wrthi hi, 'Beth, paid ag edrych nawr a chau dy lygaid nes 'mod i wedi rhoi'r wìg ar fy mhen'. Llanwodd ei llygaid â dagre a dwedodd hi, 'Fydd neb yn gwybod, Gwenda, mae e fel dy wallt ti yn union.' Roedd e'n teimlo fel gwallt iawn. Henry oedd enw'r wìg ar y bocs a dyna beth o'n i'n ei alw fe, Henry! Roedd Garry'n gofyn weithiau am gael tro yn ei wisgo a bydde'n rhaid i ni wneud sbri o Henry!

Roedd trefn fy mywyd wedi newid yn llwyr. Ar ôl cael triniaeth *chemotherapy* roedd yn rhaid i mi fynd i'r gwely am wythnos. Doedd dim byd arall i'w wneud ond ildio iddo fe. Ar wahân i deimlo'n sâl roeddwn i'n wan hefyd, yn gorfforol wan a dim awydd bwyta dim byd chwaith. Roeddwn yn rhy wan i godi 'mhen o'r gwely. Roedd e'n deimlad rhyfedd iawn ac roedd ofn arna i, ofn ofnadwy, gan fy mod i'n colli rheolaeth dros fy nghorff fy hunan. Pan fyddwn i'n gorwedd yno yn rhy wan i symud roeddwn i'n gwneud ymdrech i dreial aros yn bositif ac yn treial dod o hyd i ffyrdd i helpu fy hunan i feddwl yn bositif; fel bydde Dadi'n ei ddweud, 'Tra bo anadl, ma 'na obaith'! Efallai na wnewch chi ddim deall hyn, ond roeddwn i'n siarad â'r cancr. Byddwn yn gorwedd fan yna gyda fy llygaid ar gau yn fy ngwendid, ond byddwn i'n dweud wrtho fe, 'Alli di fynd â 'ngwallt i, alli di hala fi'n wan, ond dwyt ti ddim yn fy nghael i!'

Ar yr adegau anodd, dyna'r unig ffordd oedd 'da fi o aros yn bositif a'i ymladd e.

Bydddai'r *chemotherapy*'n digwydd bob tair wythnos a'r gwendid a'r salwch yn para am wythnos ar ôl pob triniaeth. Ar ôl yr wythnos o wendid byddwn i'n dechrau cryfhau ychydig a theimlo 'bach yn well, ond cyn troi rownd roedd yn rhaid mynd yn ôl i'w wynebu fe 'to. Roedd y cyffuriau 'na mor gryf doedd dim dewis ond ildio ac aros iddyn nhw adael y corff yn raddol a threial cryfhau cyn y driniaeth nesaf.

Sdim geiriau digonol i ddiolch i Mam a Dad am eu cymorth dros gyfnod y frwydr hir 'na. Roedden nhw'n dod lawr i aros gyda fi am yr wythnos yn union ar ôl y *chemotherapy*. Bydde Mam yn eistedd am oriau ar y gwely gyda fi; yn aml byddwn i'n rhy wan hyd yn oed i agor fy llygaid ond roeddwn i'n gwybod ei bod hi yno wrth fy ochr. Rwy'n cofio dweud wrthi ar ôl y chweched sesiwn *chemotherapy*, 'Mam, alla i byth mynd i gael rhagor o driniaeth, rwy'n ffaelu goddef rhagor, rwy'n sâl.' Rwy'n gallu ei chlywed hi nawr yn fy ateb i. 'Gwenda, cofia taw nid y cancr sy'n gwneud ti'n dost ond y driniaeth. Rwyt ti'n cael y driniaeth er mwyn gwella.' Roedd hi'n iawn wrth gwrs, ac roedd hi'n gwybod yn iawn sut roeddwn i'n teimlo. Roedd hithau wedi cael cancr y fron a *lymphoma* ac wedi gorfod cael triniaeth *chemotherapy* ei hunan rhyw dair blynedd yn gynt. Roedd hi'n dŵr o nerth ac yn ddewr drosta i.

'Come on, Gwen,' bydde hi'n dweud, 'Mae'n rhaid i ti wella.' Hi oedd fy asgwrn cefn i. Mae hi'n fam i fi ond mae'n ffrind gorau i mi 'fyd, ac r'yn ni o'r dechrau un wedi rhannu pob peth.

Mae Dad yn wahanol ac roedd e'n ymdopi mewn ffordd wahanol. Dim ond rhyw ddwywaith y dydd fydde fe'n dod lan i'r llofft i 'ngweld i, a bydde'n dod â chwpaned o de neu rywbeth 'da fe. Roedd e'n gofyn bob tro, 'Shwd wyt ti nawr, Gwen?' ac yn dweud, 'Byddi di'n well fory.' Weithiau roeddwn i mor wan roedd yn rhaid i mi gael help i gerdded i'r tŷ bach a bydde Dad a Mam yn fy nal i, un bob ochr. Anghofia i byth y gofal gefais i gan y ddau ohonyn nhw.

Bues i'n ffodus i gael ffrindiau da hefyd. Mae pobl wedi hen arfer â chaledi a thrasiedi mewn ardal lofaol fel Cwm Gwendraeth ac mae'r cyd-dynnu a'r cydweithio sy'n digwydd wrth wynebu caledi wedi creu cymdeithas glòs ac arbennig iawn, sydd yn gymorth i rywun mewn gwendid. Roedden nhw hefyd gyda mi bob cam o'r frwydr ar hyd ffordd oedd yn hir ac yn galed i'w cherdded.

Er fy mod wedi fy amgylchynu â gofal yma gyda fy nheulu a'm ffrindiau, a'r gymdogaeth yn gefn i, mi roeddwn yn teimlo rhyw unigrwydd mewnol, fel pe bawn i ar ynys ar fy mhen fy hun. Roeddwn yn gwybod mai fi oedd yn gorfod mynd drwyddo fe ac mai fi oedd yn gorfod ei drechu. Arna i roedd y cancr, ac roeddwn i'n gwybod mor slei ac mor dawel oedd e. A dweud y gwir, hen fochyn yw e. Gall e bigo ar unrhyw un; dyw e ddim yn *fussy* o gwbl. Roedden nhw'n oriau hir, yn gorwedd yn y gwely gan wybod fod bywyd yn mynd yn ei flaen yr un peth yn y byd mawr tu hwnt i'm hystafell wely i. Dyna un o'r pethau ddaeth yn real iawn i mi dros gyfnod y salwch: mae bywyd yn cario 'mlaen hebddoch chi. Pan 'ych chi'n iach a bwrlwm bywyd yn eich cario chi o ddydd i ddydd gallwch fynd i gredu'n rhwydd iawn fod popeth yn mynd i stopio os nad 'ych chi'n rhan ohono fe. Roedd y salwch fel rhyw fath o *reality check*.

Byddai'r radio'n dod gyda fi i'r gwely i gadw cwmni yn dawel bach. Yn yr oriau du a thywyll roeddwn i'n gallu mynd reit lawr. Roeddwn yn teimlo 'mod i wedi colli gafael ar fy mywyd, doedd dim rheolaeth 'da fi dros fy nghorff fy hunan a bydde ofn cysgu arna i weithiau rhag ofn na fyddwn yn dihuno. Rwy'n cofio un diwrnod, roedd hi'n bwrw glaw yn drwm iawn tu fas a'r gwynt yn bwrw'r ffenest, a 'wy'n cofio meddwl nad oedd y diwrnod hwnnw'n ormod o golled, o leia, oherwydd y storm tu fas. A finne yn y gwely, gyda'r radio, a dyna braf fyddai clywed Jonsi yn y bore neu Kevin yn y pnawn yn chwarae fy nghaneuon i ar y radio, a Jonsi'n aml yn cofio ata i. Roedd cyffyrddiadau bach fel'na'n rhoi nerth a phenderfyniad newydd i mi ynghanol y storm.

Roedd gyda fi ffydd fawr yn y driniaeth roeddwn yn ei chael, ac fe fyddwn yn gwneud ymdrech bob amser i aros yn bositif. Roedd pobl yn dweud wrtha i 'mod i'n ddewr iawn, ond nage dewr o'n i – doedd dim dewis 'da fi. Roeddwn yn gorfod wynebu'r cyfan a chredu fod gwella i fod, ond roedd yna oriau tywyll iawn i'w cael ynghanol y frwydr yna. Byddwn yn aml yn teimlo fel mynd mas i'r cae a sgrechen. Rwy'n cofio un noson, o'n i'n methu cysgu a dyma fi'n codi o'r gwely a mynd lawr i eistedd yn yr ystafell ffrynt ar fy mhen fy hun, ac fe drawodd fi'n sydyn: Mae gyda fi gancr! A dyma fi'n dechre llefen a llefen, nes 'mod i'n methu stopio. Roeddwn i'n dweud drosodd a drosodd, Pam fi? Pam fi? Ynghanol y dagrau fe ffoniais i Deris ac fe ddaeth hi lan ata i yn syth. Roedd hi'n trio cael fi i stopio llefen, ond o'n i'n dweud, 'Na, 'wy angen llefen e mas.' Ond roedd yn rhaid bod yn gryf. Roeddwn yn rhiant sengl ar y pryd a'r plant gyda fi. Roedd Geinor yn bedair ar ddeg a Gari ond yn un ar ddeg. Roedd hynny'n fy ngwneud i'n fwy positif. Roeddwn i moyn byw i weld y plant yn tyfu! Doedd dim un cancr yn mynd i gymryd hynny bant oddi wrtha i!

Ychydig ddiwrnodau cyn mynd yn ôl i gael y driniaeth nesaf, roeddwn yn dechrau cryfhau a byddwn yn aml yn mynd am dro yn y car i siopa, neu i gwrdd â ffrindiau, a byddai pobl yn dod ymlaen ata i a gofyn shwd o'n i'n teimlo. Bydden nhw'n dweud yn aml iawn wrth orffen y sgwrs, 'Wel croesi bysedd nawr y byddi di'n iawn', neu 'Trysto'r gorau nawr'. Roedd hynny'n fy hala'n ddiflas iawn. Roeddwn i moyn iddyn nhw ddweud, 'Fe fyddi di'n iawn'. Ond doedd pobl ddim yn gwybod beth i'w ddweud. Rwy'n cofio gweld menyw yn y pentref, ar ôl i mi orffen fy nhriniaeth, yn dod lan ata i ac yn dweud i 'ngwyneb i, 'Sori, Gwenda, o'n i'n ffaelu siarad â ti pan oeddet ti'n dost, o'n i ddim yn gwybod beth i ddweud wrthot ti.' Weithiau byddai pobl yn galw i 'ngweld i ac wrth i mi agor y drws, o'n nhw'n dechre llefen a fi'n gorfod dweud wrthyn nhw am beidio â llefen. Hyd heddi ma' ofn y gair ar bobol. Mae dweud y gair 'cancr' rhywsut yn tabŵ. Byddwn i'n clywed rhai yn dweud wrth siarad amdana i, 'O, mae drwg arni', neu yn sibrwd y gair *cancr* yn dawel, fel fod rhyw ddrwg i'w gael yn y gair ei hunan. Roedd y straen o fod yn wyneb cyfarwydd a chyhoeddus yn anodd ar adegau bryd hynny. Roedd rhai'n edrych arna i a dweud dim, ond yn rhannu rhyw wên fach. Ac roedd hi'n anodd i mi i gadw'r wên i fynd o hyd.

Ond diolch am deulu a ffrindiau, a'r rheini'n ffrindiau da. Mae 'na gyffyrddiade o'r cyfnod hwnnw fydd yn aros gyda fi am byth. Ffrind o Gaerfyrddin, Beti Jones, yn anfon llythyr ataf fi bob wythnos y byddwn i'n cael triniaeth. Roedd hi'n gwybod y byddwn i'n gorwedd yn fy ngwely'n dost, a bydde hi'n dweud, 'Rhywbeth bach i ti ddarllen yn y gwely!' Sawl tro, y llythyr yna oedd yr unig beth oedd yn fy nghysylltu â'r byd mawr tu fas. Pan oedd effaith y driniaeth yn dechrau cilio byddai Beti'n dod i fy nôl i a mynd â fi i'r dre, dim ond i ryw ddwy o siope, falle, oherwydd 'mod i mor wan. Rwy'n cofio ar un o'r tripiau cynnar i mi brynu pâr o esgidiau ac fe fyddwn i'n gwisgo'r esgidiau hynny'n aml wrth fynd i gael *chemotherapy*. Bob tro o'n i'n eu rhoi ar fy nhraed o'n i'n eu galw nhw'n *chemo shoes*!! Roeddwn i mor falch o'r tripiau bach yna. Roeddwn yn ymdrechu i fynd allan wrth i effaith y *chemotherapy* fynd o 'nghorff i. Roeddwn i'n ymdrechu cyn gadael y tŷ hefyd, yn dal i wisgo colur, er i mi lefen un diwrnod. Roeddwn i'n treial gwisgo mascara ac fe sylweddolais nad oedd 'da fi *eyelashes* o gwbl. Roedd y *chemotherapy* wedi eu lladd nhw i gyd!

Byddai ffrindiau eraill yn galw hefyd i fynd â fi mas. Daeth Delyth Mai Nicholas draw un noson er mwyn mynd â fi mas am bryd o fwyd. Doedd dim llawer o hwyl y noson honno, ro'n i'n teimlo'n anhwylus a dweud y gwir, ac erbyn iddi ddod yn amser bwyta doedd dim whant bwyd arna i o gwbl ac fe aeth y cyfan yn wast! Ond os oedd y *chemotherapy* wedi cymryd y whant am fwyd, roeddwn i'n gwerthfawrogi'n llawn bob ymdrech gan fy ffrindiau i gynorthwyo ac i godi 'nghalon i.

Fe ofynnais i i Delyth un tro a fydde hi'n fodlon ysgrifennu geiriau cân i mi, fel fy mod i'n gallu meddwl am alaw. Gofynnodd Delyth, 'Be ti'n moyn, cân am beth?'

Eisteddais i lawr yn yr ystafell ffrynt gyda hi ac esbonio iddi hi fel oedd fy mywyd wedi newid, ac fel o'n i erbyn hyn yn edrych ar fywyd mewn ffordd wahanol, yn sylwi ar bethau nad oeddwn i wedi sylwi arnyn nhw o'r blaen. Fod bywyd yn felysach i mi nawr a bod y cancr a'r tostrwydd, a cherdded mor agos at y dibyn, wedi dod â phersbectif newydd i 'mywyd i. Aeth Delyth adre y noson honno ar ôl gwrando arna i'n esbonio fy nheimladau ac ymhen tri diwrnod fe ddaeth yn ôl gyda'i geiriau a'u dangos nhw i fi. Geiriau cân newydd, 'Ni sylwais i o'r blaen'. Maen nhw'n eiriau hyfryd ac yn cyfleu'n berffaith sut mae bywyd yn edrych i mi'n awr. Erbyn i mi gryfhau, rhyw ychydig o ddyddiau cyn mynd yn ôl i gael mwy o *chemotherapy*, fe fyddwn i'n cydio yn y gitâr. Dyna wnes i ar ôl cael y geiriau gan Delyth ac wrth ddechrau eu canu nhw fe ddaeth yr alaw i mi.

NI SYLWAIS I O'R BLAEN

Er i mi'th weld di ganwaith,
Dy nabod ers tro byd,
Dy wên sydd yn fwy annwyl,
Dy lais yn llawn o hud.
Ni sylwais ar dy lygaid
Yn las fel tonnau'r lli,
Dy weld a wnaf o'r newydd,
Cyn hyn ni sylwais i.

Cytgan

Agorais i fy llygaid
A gweld pob du yn wyn,

Gweld harddwch a daioni
Na sylwais i cyn hyn.
Edrychais i o'm cwmpas
A syndod yn fy nghân,
Wrth weld y pethe bychain
Na sylwais i o'r blân.

Er i mi glywed nodau
A seiniau'r adar mân,
Ni sylwais i tan heddiw
Mor swynol yw eu cân.
Mi welais drwy y ffenest,
Betalau'r lili wen
Yn burach ac yn wynnach
Wrth iddi blygu'i phen.

O edrych dithau eilwaith
Ar fyd sy'n dal i droi,
A gwêl y pethau hynny
Na sylwaist arnynt ddoe.
Gweld gwerth yr hyn sydd gennyt
A pharchu'r pethe mân,
Gweld bywyd oll o'r newydd,
Gweld byd na wnest o'r blân.

Roedd yr hen ffrind, y gitâr, yn ffordd o 'nghadw fi
i fynd. Cydio yn y gitâr a chyfansoddi, roedd e'n
gweithio fel rhyw therapi i fi. Cefais i anrheg gan Ira
Williams un tro. Magnet oedd e, chi'n gwybod, y
fridge magnets yna chi'n gallu prynu gyda rhyw
eiriau neu ddywediad arnyn nhw. Roedd hwn yn

dweud, 'Where words fail, music speaks' ac mae un arall 'da fi 'fyd sy'n dweud yr un peth, 'Music speaks louder than words'. Roedd y gallu i eistedd gyda'r gitâr a chyplysu geiriau gydag alawon newydd yn werthfawr tu hwnt i mi, yn arbennig y pryd hynny, ac roedd e'n hwb pwysig ymlaen.

Un arall o'r ffrindiau ffyddlon oedd Eurig. Rwy'n cofio pan alwodd e un tro, roeddwn i wedi cael y *chemotherapy* rhyw dridiau ynghynt. Rhoddodd Eirug gnoc tawel ar ddrws yr ystafell wely a dod i mewn. Doedd ei wraig, Anwen, a'r plant ddim gyda fe'r diwrnod hwnnw gan ei fod yn gwybod 'mod i newydd fod yn cael y *chemotherapy*. Mae Eirug ac Anwen a fi yn mynd yn ôl blynyddoedd ac mae Eirug wedi bod yn gymorth mawr i mi sawl tro pan oedd angen. Ches i ddim brawd o gwbl, ond Eirug yw'r peth agosaf at frawd y mae'n bosibl i'w gael. Fe blygodd e lawr wrth ochr y gwely – 'wy'n gallu ei glywed e nawr yn dweud e yn y ffordd hamddenol braf sydd 'da fe, 'Shwd 'yt ti, Gwen?' Pan agores i fy llygaid roeddwn i'n gallu gweld yr ofn yn ei lygaid e. Doedd e ddim yn gwybod beth i'w ddweud, ond fe wedodd e'r peth iawn wrtha i, lygad yn llygad wrth ochr y gwely y diwrnod hwnnw, 'Fe ddei di'n well, paid rhoi mewn.'

Ond, o, roedd hi mor anodd ar adegau! Doedd dim byd yn normal yn fy mywyd i, popeth yn troi o gwmpas y *chemotherapy*; roedd e fel cerdded ar blisgyn wyau. Roeddwn i'n gweld Dr Joannides bob tro cyn cael y *chemo*. Byddai'n gofyn sut roeddwn i a sut roedd pethau wedi bod ers y driniaeth ddiwethaf. Byddwn i'n ei ateb e'n onest, 'mod i wedi bod yn teimlo'n ofnadwy ac nad o'n i ddim yn credu y gallwn i oddef rhagor o driniaeth. Roedd hi mor anodd i gymryd y driniaeth gan 'mod i'n gwybod fod y sgil-effeithiau'n mynd i 'mwrw i lawr eto. Byddai'n fy ateb i 'nôl, 'Well, Gwenda, it's the only thing that will make you better.' Byddai'n archwilio'r fron wedyn ac yn dweud wrtha i gyda gwên ar ei wyneb, 'It's shrinking, it is getting smaller!' Bydde'n rhaid i fi ddweud wedyn, 'Right, I'll have another one.' Roedd y geiriau hynny mor anodd i'w dweud ar adegau, ond doedd dim rhoi mewn i fod ac fe fyddwn yn bodloni'n syth i wynebu dos arall o *chemotherapy*.

Roedd staff yr Uned i gyd yn bobl arbennig iawn. Roedden nhw wedi llwyddo i wneud yr Uned yn lle hynod o gartrefol. Er mai lle i drin cleifion oedd yn dioddef o gancr oedd e, roedd yr awyrgylch yno yn un hapus a phob amser yn gadarnhaol. Roeddem bawb yn yr un cwch ac roeddem ni i gyd yno fel un teulu! Fe gwrddais â llawer o gleifion eraill oedd yn dioddef yr un fath â fi ac roedd sgwrsio gyda'n gilydd a rhannu profiadau'n elfen bwysig o'r driniaeth hefyd. Byddem yn trafod ac yn sgwrsio am bopeth, nage dim ond salwch. Roeddwn i wedi gwneud ffrindiau â nhw; fy *chemo partners* o'n i'n galw nhw. Fe gwrddais i â Joan yno; roedd hi'n dod o Geredigion ac yn cael triniaeth am gancr y fron ac fe fydd hi'n aml yn dod i 'nghyngherddau ac yn cadw mewn cysylltiad ar y ffôn.

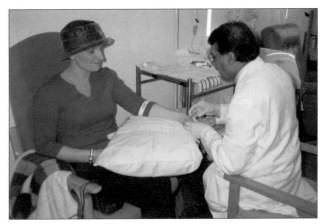
Dr Sanjay'n rhoi triniaeth i fi.

Rwy'n cofio cyrraedd un tro i gael y driniaeth. Dr Sanjay oedd yn ei rhoi i mi'r diwrnod hwnnw. Wrth i fi gerdded mewn i'r ystafell fe ddwedodd e'n uchel, 'The star is coming, the star is coming. I saw you on the television last night, Gwenda. I was in the pub with my friends and I told my mates to be quiet. "My patient is on the telly," I said to them.' Fe ddwedes i 'nôl wrtho fe, 'Listen, I'm not the star, you're the star for making me better!'

Wrth i'r misoedd fynd yn eu blaenau roeddwn i'n cyfri'r triniaethau at y diwedd. Adeg y Nadolig, ar Rhagfyr 29, 1999, roeddwn i'n mynd i gael y seithfed driniaeth. Y drefn oedd cael profion gwaed yn y bore, ac yna, os oedd popeth yn iawn, cael y driniaeth yn y prynhawn. Roedd hi mor anodd wynebu'r driniaeth yna bob tro. Byddwn yn teimlo'n sâl wrth gyrraedd yr

140

Uned, gan 'mod i'n gwybod beth oedd o 'mlaen. Roedd fy stumog yn troi ac roeddwn yn gallu arogli'r cyffuriau yn fy meddwl hyd yn oed cyn cyrraedd ystafell y driniaeth. Byddai Sister Anwen yn rhoi olew aromatherapi i fi ar hances boced ac fe fyddwn yn ei ddal yn dynn at fy wyneb wrth iddyn nhw roi'r cyffuriau mewn i 'mraich i. Sdim rhyfedd 'da fi fod Anwen wedi ennill cystadleuaeth *NHS Hero* BBC Cymru cyn mynd ymlaen i gystadlu am deitl *NHS Hero* Prydain Fawr. Mae hi erbyn hyn hefyd wedi ei hanrhydeddu am ei gwaith gyda chleifion drwy dderbyn yr MBE. Roedd hynny'n anrhydedd iddi hi, ac yn adlewyrchiad o'i hymroddiad diflino hi ar hyd y blynyddoedd. Roeddwn i a phawb arall yn yr Uned

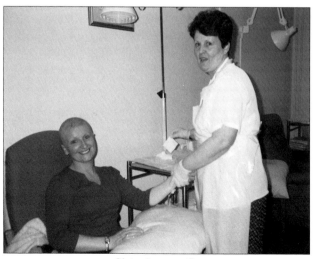

Sister Anwen a fi.

mor browd ohoni hi; os oedd rhywun yn haeddu ei ennill, Anwen oedd honno. Cafodd hi ei geni i nyrsio ac i helpu eraill; mae e'n reddfol ynddi hi.

Wrth gwrs, dyma gyfnod croesawu'r mileniwm newydd. Fe gerddodd y plant fi draw i eistedd o flaen ffenest ystafell wely Geinor i weld y tân gwyllt yn tanio ac yn goleuo'r nos uwchben Pontyberem, ond yng Nghapel Ifan roedd patrwm bywyd yn mynd yn ei flaen yr un fath ag arfer, a minnau yn y gwely'n sâl. Byddwn yn clywed y ffôn yn canu gyda phobl yn dymuno blwyddyn newydd dda, a minnau'n gorwedd yno yn meddwl, 'Pryd mae hyn i gyd yn mynd i ddod i ben?'

Ar Ionawr 12 roeddwn yn ôl yn Singleton yn cael mammogram a sgan er mwyn gweld faint roedd y *tumour* wedi lleihau. Daeth Linda fy chwaer gyda fi; roedd hi'n fwy nerfus na fi, 'wy'n meddwl, ond yn dal i ddweud, 'Bydd yn ddewr nawr!' O fewn wythnos roeddwn i fod yn ôl yn yr Uned er mwyn cael y driniaeth *chemotherapy* olaf ac i gael canlyniadau'r mammogram a'r sgan. Yn ôl yr arfer roeddwn i yno yn y bore er mwyn cael profion gwaed, ond y tro hwn roedd y cyfri gwaed yn rhy isel i dderbyn triniaeth, a hynny'n golygu y byddai'n rhaid i mi aros am wythnos arall. Roedd hynny'n siom gan fy mod i wedi seicio fy hunan i gael y driniaeth olaf, ond fe es i mewn i weld Dr Joannides er mwyn cael clywed y canlyniadau. Roedd e'n wên o glust i glust. Fe ddwedodd e fod y twlpyn wedi lleihau o 60mm i

10mm. Roedd hynny'n golygu fod y driniaeth yn llwyddiant! Wythnos arall i fynd ac fe fyddwn i wedi derbyn y driniaeth olaf. Roeddwn i'n dechrau gallu gweld golau ym mhen draw'r twnnel.

Erbyn Ionawr 25 roeddwn yn ôl yn yr Uned yn derbyn y driniaeth olaf. Roedd hynny'n rhyddhad mawr i mi, ac roeddwn yn gallu dechrau meddwl am wynebu'r cam nesaf yn y broses, sef y llawdriniaeth. Roeddwn yn ôl yn y gwely'n dost erbyn hyn ar ôl y driniaeth olaf ac roedd fy nghorff i erbyn hyn wedi cael digon. Doedd e ddim yn gallu derbyn rhagor. Roedd y tîm meddygol wedi mesur i'r dim faint o driniaethau i'w rhoi, a faint yr oedd fy nghorff i'n fodlon ei gymryd. Doedd y cam nesaf ddim yn hollol glir yn fy meddwl ac fe gefais i gyfnod eithaf isel. Pan ges i wybod yn gyntaf am y cancr, y bobl o 'nghwmpas i oedd yn llefen – o'n i jyst yn mynd gyda'r driniaeth fel roedd e'n dod – a rhywsut yng

Bron â chyrraedd y *chemo* olaf.

143

nghanol hynny i gyd does 'da chi ddim amser i feddwl. Mewn ffordd ryfedd iawn roedd bod ynghanol y driniaeth yn deimlad saff. Roeddwn i'n gwybod beth oedd yn digwydd ac yn deall ble roedd y ffiniau, ond nawr roedd yna gam newydd i ddod ac ansicrwydd unwaith eto. Ar ôl gorffen y *chemotherapy* roedd 'da fi amser i gymryd cam yn ôl ac ystyried beth oedd wedi digwydd i mi. Fe wnes i lefen tipyn bryd hynny, ond roeddwn i'n teimlo'n llawer gwell wedyn.

Roedd pawb yn dweud wrtha i am fod yn bositif a bod yn ddewr – 'Mae'n rhaid i ti fod yn gryf' bydden nhw'n dweud. 'Wy'n cytuno gant y cant, ond mae'n rhaid rhoi amser i bopeth ac mae'n anodd iawn bod yn ddewr ac yn gryf drwy'r amser. Dyw hynny ddim yn naturiol, ta beth; mae'n llesol i ryddhau'r emosiwn a llefen. R'ych chi'n gallu cael cryfder wrth lefen hefyd. Mae gan y canwr Sting gân hyfryd iawn, 'How fragile we are', ac yn y gân honno mae'n cyffwrdd â thema a ddaeth yn real iawn i fi yn ystod fy salwch. Roedd angen cryfder fel roedd angen llefen – mae dod wyneb yn wyneb ag afiechyd sy'n gallu eich lladd chi o fewn ychydig o fisoedd yn eich dysgu mor fregus yw bywyd mewn gwirionedd, a bod bywyd pob un ohonom yn gallu newid mewn eiliad. Mae cancr yn afiechyd ofnadwy, ond mae 'na afiechydon eraill yn ein byd ni sydd yr un mor fygythiol a pheryglus, ac mae angen brwydro i sicrhau fod yna ymchwil yn parhau ym mhob maes, er mwyn gwella triniaethau.

Ar ddydd Iau, Ionawr 17, fe es i 'nôl i weld Mr Holt eto. Fe fyddai'n gwneud y llawdriniaeth ac roedd yn dymuno esbonio'r cyfan i mi cyn i mi ddod i'r ysbyty. Fe ddywedodd ei fod yn mynd i godi hanner y fron a thynnu'r *lymph glands* i gyd o dan fy nghesail hefyd, oherwydd fod y cancr yn gallu lledu i'r glands a thrwy hynny ledu i weddill y corff. Y penderfyniad felly oedd gwneud hynny, a gwneud profion yr un pryd. O fewn pum diwrnod byddai'r canlyniadau 'nôl, ac os oedd y cancr wedi lledu, yna fe fyddai'n rhaid mynd yn ôl i godi'r fron i gyd. Fe ddwedais nad o'n i ddim eisiau aros pum diwrnod, a'i ateb ef oedd, 'What's five more days when you've waited six months already?'

Fe esboniodd nad oedd e ddim eisiau codi'r fron i gyd yn syth, gan fy mod eisoes wedi mynd trwy gymaint ac y bydde'n sioc i'r corff i golli'r fron yn gyfan. Doedd e ddim eisiau i mi edrych yn ôl mewn rhyw ddeufis gan ddifaru colli'r fron yn gyfan. Pan glywais i gyntaf am y cancr, fy ymateb cyntaf oedd iddyn nhw godi'r fron i gyd; roedd hi'n hawdd ei ddweud e ar y pryd, ond chwe mis yn ddiweddarach doedd pethe ddim cweit mor ddu a gwyn. Roedd rhai'n dweud wrtho' i am gael *masectomy* llawn a chodi'r fron i gyd. Symud e o'na! Ond dyn dewr yw'r dyn sy'n sefyll tu fas i'r cylch! Roedd yn gam mawr ac yn benderfyniad anodd i'w wneud. Gofynnais i Mr Holt, 'Would you advise me to have the same treatment if I was your daughter?' Atebodd e'n syth, 'Yes I would.'

A dyna setlo'r mater. Roeddwn i'n hapus 'mod i wedi gwneud y penderfyniad iawn ac am hanner awr wedi dau ar ddydd Iau, Chwefror 24, cerddais i mewn i Ysbyty Prince Philip yn Llanelli i gael y llawdriniaeth. Fe ddaeth Mr Holt i 'ngweld i ar y ward a mynd drwy'r cyfan eto ac fe dynnodd linell gyda phen inc du dros fy mron yn barod ar gyfer y llawdriniaeth y bore wedyn. Mae e'n fonheddwr, ac fe ddywedais wrtho fe os oedd e'n gweld rhywbeth nad oedd ddim i fod yno wrth wneud y llawdriniaeth, fod ganddo fy nghaniatâd i godi'r fron i gyd.

Doedd dim lle ar y ward cancr y diwrnod hwnnw gan fod saith o fenywod wedi dod i mewn i gael yr un llawdriniaeth ar y fron ac roedden nhw am fy rhoi mewn ward arall. Roeddwn yn poeni braidd. A minne wedi colli 'ngwallt i gyd, roeddwn yn edrych fel rhywun oedd yn dioddef o gancr, ac ar ward arall byddwn i'n edrych yn hollol wahanol i'r lleill, ond fe ddaeth nyrs gyda hynny i ddweud fod 'na le ar ward y cancr erbyn hyn.

Roeddwn yn teimlo'n nerfus iawn ar y ward, yn becso am y llawdriniaeth. Ond doeddwn i ddim ar fy mhen fy hun; roedd eraill ar y ward yr un fath â fi, yn wynebu'r un llawdriniaeth ac yn mynd drwy'r un emosiynau. Roedd yn hawdd closio atynt ac fe wnes i ffrindiau â nhw'n syth. Roedd pawb yn siarad â phawb arall ac yn holi hanes ei gilydd. Chi'n gwybod fel mae pobl mewn ysbyty, ond roedd hi'n braf cael sgwrsio er mai fi oedd yr ifancaf ar y ward i gyd. Ar ôl newid i fy ngwisg nos, gorweddais ar fy ngwely. Daeth llais bach o'r gwely drws nesaf, llais oedd yn perthyn i fenyw yn ei naw degau. 'Rwy'n methu credu eu bod nhw wedi rhoi fi mewn gwely drws nesaf i grwt bach!' meddai. Roedd hi'n meddwl mai bachgen o'n i oherwydd nad oedd blewyn o wallt ar fy mhen. Fe eglurais i mai merch o'n i mewn gwirionedd, a bod y driniaeth *chemotherapy* wedi mynd â 'ngwallt i. Dyma hi'n ateb, 'Sori bach; peidiwch â poeni nawr, fe wellwch chi.'

Daeth y plant i lawr gyda Dad a Mam i 'ngweld i y noson honno ac wedi iddyn nhw fynd fe gollais i sawl deigryn. Roedd y nos yn hir a chysgais i fawr ddim. Roedden nhw wedi dweud mai fi fyddai'r gyntaf i fynd i'r theatr y bore wedyn ac roedd hynny'n gysur. Sdim byd yn waeth nag aros. Erbyn chwech y bore roeddwn i yn y bàth. Rwy'n cofio gorwedd yno'n llefen yn dawel. Roedd y daith wedi bod mor hir, a nawr roeddwn i'n mynd i golli rhan ohonof i. Roedd yr hen fenyw fach yn y gwely nesaf yn gallu gweld 'mod i'n poeni ac fe drodd ataf a dweud, 'Gwenda, fe ddewch chi drwyddo hwn; cofiwch nawr, mae bywyd yn dysgu'r ffordd i chi fyw, drwy brofiadau bywyd r'ych chi'n dysgu byw.' Anghofia i byth mo'i geiriau; roedd hi mor garedig ac roedd hi'n dweud y gwir.

Roedd yn braf dihuno ar y ward ychydig oriau'n ddiweddarach a'r llawdriniaeth drosodd. Roedd yna biben yn draenio o'r fron a oedd ychydig yn boenus, ac roeddwn i'n teimlo'n wan ar ôl yr anaesthetic.

Rwy'n cofio cerdded draw i'r tŷ bach; roedd 'na ddrych wrth y sinc ac fe godais fy ngŵn wen ac edrych i weld beth roedden nhw wedi'i wneud i mi. Roeddwn mor wan ac roedd sefyll yna'n edrych ar y graith a hanner fy mron wedi diflannu yn ofnadwy ac yn deimlad anodd i'w esbonio. Mae e'n sioc enfawr i golli rhan o'ch corff. Rhan ohonoch chi yw e, ac roeddwn i'n teimlo 'mod i'n galaru am rywbeth. Mae pob rhan o'ch corff yn bwysig, ond mae colli bron i ferch yn waeth oherwydd mae'n perthyn rhywsut i'ch hunaniaeth chi fel merch. Roedd colli rhan ohonof, a minnau'n edrych yn waeth bryd hynny beth bynnag, oherwydd y diffyg gwallt, yn anodd i ddod i delerau ag e. Ar ddydd Gŵyl Ddewi fe dynnwyd y biben ddraenio mas ac fe ges i fynd adre. Roeddwn yn wan iawn, ond y peth gwaethaf oedd gorfod aros am y pum diwrnod yna i gael y canlyniadau. Beth os . . .? Beth mae'r Sais yn ei ddweud? 'The fear of the unknown.' Roeddwn yn poeni mwy oherwydd nad oeddwn yn ddigon cryf yn gorfforol, na chwaith yn emosiynol, i fynd 'nôl i'r ysbyty er mwyn codi'r fron i gyd.

Daeth Mam a Deris gyda mi i'r ysbyty ar y dydd Gwener. Roedd 'da fi apwyntiad i weld Mr Holt am hanner awr wedi un. Roedd y daith i lawr yn y car yn anghyffyrddus tu hwnt oherwydd hwn oedd y cam olaf, heblaw am y *radiotherapy* oedd i ddilyn, a beth os oedd y profion yn dangos mwy o gancr? Fe gefais fynd i'w ystafell yn syth, ac roedd Mr Holt yn wên o glust i glust. Roedd popeth wedi mynd yn iawn a'r profion yn iawn hefyd. Roedd e'n bles tu hwnt â chanlyniadau'r llawdriniaeth, a'r cam nesaf oedd y *radiotherapy*. 'Na i gyd o'n i'n gallu dweud wrtho fe oedd, 'Thank you, thank you, thank you!'

'Why are you thanking me?' atebodd e. 'You did all the hard work, you went through with it and persevered. I don't know if I could have been able to cope with it myself.'

'Well,' medde fi, 'you showed me the road that I had to take; I just followed it.'

O'n i'n teimlo ei fod wedi dweud wrtha i 'mod i'n cael byw unwaith eto. Roeddwn i wedi cael ail gyfle ac roeddwn i mor ddiolchgar. Rwy'n gwybod hefyd pe byddwn i wedi cael y math yma o gancr rai blynyddoedd ynghynt na fyddai'r driniaeth ar gael i 'ngwella i bryd hynny. Roedd Dr Joannides wedi dangos yn glir i mi y ffordd y llwyddodd y driniaeth *chemotherapy* i 'ngwella i, er ei bod yn driniaeth mor ofnadwy. Cyn i mi adael yr ystafell fe gydiais i'n dynn yn Mr Holt a dweud wrth fe, 'Thank you for saving my life and giving me a second chance.'

Wrth i'r amser fynd heibio ar ôl y llawdriniaeth, roeddwn i'n teimlo fy hunan yn cryfhau. Fe ddechreuodd hylif gasglu yn y fron ac roedd e'n anghyffyrddus. Bu'n rhaid i fi fynd yn ôl i'w ddraenio, ond mae hynny'n beth cyffredin ar ôl llawdriniaeth ar y fron. Mae'n rhaid gwneud ymarferion gyda'r fraich; mae hynny'n bwysig. Gan

149

fod y *lymph glands* wedi eu tynnu, mae perygl i'r fraich fynd yn wan ac yn stiff ac mae'n rhaid gwneud ymarferion cyson er mwyn ystwytho'r fraich a'i chryfhau. Roedden nhw wedi esbonio ei bod yn haws derbyn llawdriniaeth ar y fron nag yw hi i gael llawdriniaeth ar un o'r organau mewnol. Mae'r fron tu fas i'r corff, fel petai, ac yn gallu gwella'n gynt oherwydd hynny. Roedd yn rhaid aros nawr i'r clwyf wella ac i minnau gryfhau'n gorfforol cyn dechrau ar raglen bump wythnos lawn – mynd yn ddyddiol o ddydd Llun i ddydd Gwener – o *radiotherapy*. Fe ddaeth y diwrnod i ddechrau'r driniaeth ar Mai 8 ac fe es i 'nôl i Singleton i'w chael hi.

Doedd y *radiotherapy* ddim hanner cynddrwg â'r *chemotherapy*. Gweithio ar wyneb y croen mae *radiotherapy*, a'r drefn bob dydd oedd cael munud o *radiotherapy* ar y fron, munud o dan y fraich a munud ar y gwddwg gan fod y twlpyn yn un mawr ac yn uchel ar y fron. Ond roedd hi'n driniaeth flinderus iawn. Rhyw ddeg munud roedd y driniaeth ei hunan yn para, ond roeddwn i'n dal yn wan ar ôl y *chemotherapy* a'r llawdriniaeth ac roedd yn rhaid ymweld â Singleton bob dydd o'r wythnos waith a hynny am gyfnod o bump wythnos. Roeddwn mor ffodus o gymorth a chefnogaeth teulu a ffrindiau a fyddai'n fy ngyrru yno ac yn cadw cwmni i mi: Mam a Dad a Deris a Linda, Ira, Beti, Eluned a Meinir.

Erbyn diwedd y pump wythnos roedd y croen wedi dechre llosgi ychydig, tebyg iawn i losg yr haul;

roedd e wedi dechre cochi a mynd yn dyner. Roedd hyn yn bownd o ddigwydd, wrth gwrs, gan taw bwriad y driniaeth oedd llosgi'r ardal o gwmpas lle bu'r *tumour* rhag ofn fod yna ryw gelloedd cancr ar ôl yno. Roeddwn yn trio gorffwys cymaint ag y gallwn er mwyn cryfhau a gwella, ond roedd y *radiotherapy* yn fy ngadael yn bur flinedig.

Yn sydyn, un dydd Gwener ym mis Mehefin, roedd y driniaeth ar ben. Mor sydyn ag y dechreuodd roedd wedi bennu, ond nid heb adael creithiau. Nid y creithiau allanol yn unig; mae e wedi newid fy holl fywyd i. Y dyddiau hyn fe fydda i'n mynd yn ôl i'r ysbyty bob rhyw dri mis jest i gael *check up*. Alla i ddim dechrau esbonio i chi cymaint o gymorth yw hynny, i gael eu clywed nhw'n dweud, 'Yes, you're doing fine, Gwenda.'

Mae sawl math o gancr i'w gael, wrth gwrs, ac roeddwn i'n ffodus iawn fod fy nghancr i wedi ymateb yn dda i'r *chemotherapy*. Ond mae 'na le i ddweud, ac fe glywch chi sawl un sydd wedi cael cancr yn ei ddweud, nad yw e byth yn eich gadael chi mewn gwirionedd. Mae e'n gadael ei farc, ac os daw rhyw boen sydyn neu ryw dwcan rhywle yn eich corff, fel y byddwn ni i gyd yn ei gael o bryd i'w gilydd, fe glywch chi lais bach yng nghefn eich meddwl yn dweud, 'Falle 'i fod e 'nôl.'

Ond dyna ni, mae'n rhaid byw gyda hynny a datblygu meddylfryd bositif, peth sy mor bwysig wrth ymladd afiechyd; mae rôl y meddwl yn allweddol yn y broses o wella. R'ych chi dipyn mwy gofalus o'ch corff hefyd ar ôl bod drwy rywbeth fel'na, yn fwy ymwybodol efallai mai un corff sydd gyda chi a bod yn rhaid ei barchu a gofalu amdano. Mae'r cancr wedi fy newid i; rwy'n edrych ar bethau'n wahanol iawn erbyn hyn ac yn gallu gwerthfawrogi bywyd a'r pethau bach mewn bywyd yn llawer gwell. Rwy'n codi yn y bore a bydda i'n dweud yn aml, 'O mae'n braf cael byw!'

Ac o, mae wedi bod yn hyfryd i allu siarad amdano fe gyda theulu a ffrindiau, gyda meddygon a chyda'r genedl ar y radio hefyd. Fe ddwedodd Dr Joannides yn hollol iawn wrtho' i wrth fy annog i wneud *Dyddiadur Gwenda*, ei fod yn mynd i fod yn therapi i fi yn ogystal â bod yn gymorth i eraill. Ac roedd e mor gywir; mae nifer fawr wedi cysylltu â mi i ddiolch am yr help a gawson nhw o'r rhaglen – roedd yn gyfle nid yn unig i'w rannu fe, ond hefyd i'w siarad e mas. Mae hynny'n wir am y teulu hefyd, sy'n dioddef gyda chi. Rwy'n cofio, ychydig amser ar ôl gorffen y driniaeth, bu'n rhaid i Geinor wneud sgwrs lafar o flaen y dosbarth ar gyfer arholiadau TGAU ac fe siaradodd hi am gancr y fron. Roeddwn i'n becso ei bod hi'n rhy agos at y peth i allu siarad amdano'n agored ac yn gyhoeddus o flaen dosbarth, ond roedd hi'n dweud hefyd ei bod yn teimlo'n well ar ôl gallu siarad amdano fe.

Pan fydd rhywun yn dweud wrthoch chi fod cancr arnoch chi, mae'n anodd iawn i'w gymryd e i mewn y

syth. Mae rhywun yn teimlo'n *numb* – wedi eich
parlysu – ac yn methu credu'n iawn ei fod e'n digwydd
i chi. 'Rhywbeth sy'n digwydd i bobl eraill yw cancr,
dim i fi.' Mae'n gallu bod yn anodd iawn derbyn y
ffeithiau, ac yn anodd hefyd, ar adegau, i ddangos
emosiwn. Mae rhywun yn dueddol o ofyn yr un
cwestiynau drosodd a throsodd, ac mae rhai yn ei chael
yn anodd i siarad am y peth o gwbl. Ambell dro fe
fyddwn i'n treial ffeindio'r rheswm am y cancr, gan
feddwl y bydde'n help i wybod pam a sut, ond does neb
yn gwybod y rheswm. Hyd yn oed ar ôl i'r cancr fynd,
mae'n dal yn gallu bod yn anodd dod i delere â'ch
emosiyne, gan fod y driniaeth yn gadael ei ôl am amser.

Cyngor da mewn sefyllfa fel hyn yw bod yn rhaid i
chi wrando ar eich corff. Hyd yn oed heddi, os daw
pwl o flinder fe fydda i'n rhoi mewn iddo ac yn mynd
i orffwys am ychydig. Mae sawl un yn dod 'mlaen y
dyddie hyn ac yn gofyn am gyngor. Y cyngor gorau
alla i ei roi yw, os byth y teimlwch chi dwlpyn neu
rywbeth o'i le, cerwch at y meddyg yn syth. Rwy'n
gwybod fod yna ofn, ond os na ewch at y meddyg,
fydd neb yn gallu gwneud dim yn ei gylch, ac mae
'na bosibilrwydd y gall pethe fynd o ddrwg i waeth.
Mae e fel brwsio'r llawr, gallwch chi frwsio'r baw o
dan y mat a meddwl fod popeth yn iawn, ond mae'r
baw yno o hyd, a fan'na fydd e nes i chi benderfynu
gwneud rhywbeth yn ei gylch.

Rwy'n berson gwahanol erbyn hyn; mae'r profiad
hwn wedi fy aeddfedu mewn ffyrdd rhyfedd ac

amrywiol. Bu'n rhaid i'r plant aeddfedu hefyd gan eu bod nhw wedi dod drwyddo fe gyda mi. Rwy'n cyfri fy hunan yn un o'r rhai ffodus sydd wedi cael ail gyfle mewn bywyd. Mae 'na *sticker* i'w roi ar bympyr y car sy'n dweud, 'Smile, life is not a rehearsal'. Mae hynny'n eitha gwir; mae bywyd yn gallu bod mor fregus a sneb yn gwybod beth sy'n mynd i ddigwydd yfory. Does dim gafael gan neb ar yfory.

Rwy'n cofio Geinor a Gari yn dweud wrtho' i ar ôl i mi orffen y driniaeth *radiotherapy* olaf, 'Mae'n neis cael ti 'nôl, Mami.' Drwy'r cyfan roedd y plant wedi cerdded pob cam o'r daith gyda fi ac roedd y tri ohonon ni wedi rhannu'r cyfan yn onest ac yn agored.

Roedd hi'n neis bod 'nol!

Geinor, fi a Gari yng Nghapel Ifan.

DECHRAU NEWYDD

Ar ôl gorffen y driniaeth roedd hi'n amser i ddechrau ymgryfhau, ac roeddwn i'n benderfynol o wneud y gore o 'mywyd. Tudalen lân a chyfnod newydd oedd hwn, a chyfle i edrych ymlaen i'r dyfodol. Daeth llawer un ymlaen ata i a 'nghynghori i beidio â mynd yn ôl i ganu yn rhy glou. Roedden nhw'n meddwl ac yn dymuno'r gore, rwy'n gwybod, ond roedden nhw mor bell ohoni yn eu cyngor. Canu a chyfansoddi oedd wedi fy ysbrydoli yn ystod y frwydr yn erbyn y cancr; dyna oedd wedi fy nghadw i fynd drwy'r oriau tywyll hynny, a'r gobaith o gael dychwelyd i'r llwyfan unwaith eto.

Edrych ymlaen.

Cefais gyngor gan eraill i anghofio amdano fe nawr, ac edrych ymlaen. Unwaith eto, roedd pobl yn meddwl y gorau ac roedden nhw'n iawn i fy annog i edrych ymlaen – dyna o'n i'n dymuno gwneud. Ond, anghofio amdano fe? Roedd yr afiechyd yna wedi dwgyd dros flwyddyn o 'mywyd i a mynd â fi mor agos at y dibyn nes 'mod i'n gallu gweld y gwaelod. Ar ben hynny roedd e wedi fy ngadael yn wan ac roeddwn i wedi colli hanner fy mron iddo hefyd! Anghofio amdano fe? Gofynnwch chi i unrhyw un sydd wedi dioddef o gancr ac fe ateban nhw'n unfarn, wnewch chi byth anghofio. Falle fod y cancr yn gadael y corff ond dyw e byth yn gadael y meddwl yn llwyr. Byddwn i'n mynd mor bell â dweud ei fod e'n rhan ohono' i. Mae'n rhywbeth rwy'n gorfod dysgu byw gydag e; does dim un diwrnod yn mynd heibio heb fy mod yn meddwl rhywbryd am y salwch. Efallai oherwydd i mi glywed am hanes rhai o'r cleifion oedd yn cael triniaeth yr un pryd â fi, rhai ohonyn nhw'n dioddef eto oherwydd fod y cancr wedi dychwelyd, neu wedi lledu, neu rai wedi colli'r dydd yn llwyr. Mae'r ofnau'n dychwelyd ac fe fydda i'n mynd yn grac, ac mae'r cwestiynau'n dod 'nôl: pam nhw, a pham nawr, ac yn fwy i'r pwynt, pam o gwbl? Mae'n afiechyd sy'n cyffwrdd â shwd gymaint ohonon ni, r'yn ni i gyd yn 'nabod rhywun sydd wedi cael cancr neu sy'n cael triniaeth ar hyn o bryd.

Ond diolch sydd gyda fi, am gael ail gyfle mewn bywyd. Byddaf yn ddiolchgar tra 'mod i, i'r tîm i gyd a fu'n gofalu amdanaf o dan arweiniad medrus Dr Theo Joannides yn Ysbyty Singleton yn Abertawe ac i Mr Simon Holt a'r tîm yn Ysbyty Prince Philip yn Llanelli am eu gofal nhw hefyd. Maen nhw'n cydweithio'n agos â'i gilydd yn eu brwydr yn erbyn cancr.

Un diwrnod wrth i fi dderbyn triniaeth *chemotherapy,* roedd Dr Joannides a minnau'n sgwrsio am y cyffuriau amrywiol oedd yn cael eu defnyddio yn yr Uned, ac fe ddywedodd wrtha i, 'The only way forward, Gwenda, is to undertake research work into chemotherapy treatments, so that we can improve them and save more lives.'

Pan glywais i fe'n dweud hynny, atebais yn syth, 'When I get better I will help you to raise money to fund some of that research work, through my work as a singer.' Beth yw'r hen ddihareb 'na, 'Diwedd y gân yw'r geiniog'? Wel, dyna gydio yn y ddihareb a phenderfynu ei throi'n wirionedd. Yn ystod y salwch roeddwn i wedi dal ati i gyfansoddi ac fe benderfynais nawr fod 'na gyfle ardderchog i roi'r caneuon hynny ar CD a rhoi holl elw'r gwerthiant i Uned *Chemotherapy* Ysbyty Singleton er mwyn ariannu peth o'r gwaith ymchwil yna y bu Dr Joannides yn sôn mor frwdfrydig amdano.

Un o'r pethau cyntaf i'w wneud oedd cael fy apêl fy hunan. Fe benderfynais ar enw yn syth a'i alw'n 'Gronfa Cancr Gwenda Owen'. Ei enwi oedd y rhan rwydd o'r gwaith; nawr roedd yn rhaid ei osod ar ei draed, ond yn gyntaf bydde'n rhaid ffeindio trysorydd. Trysoryddes, i fod yn fwy cywir, gan i mi ofyn i Ira Williams, fy nghymdoges a'm ffrind ffyddlon, a fu gyda fi o'r cychwyn cyntaf yn fy mrwydr, ac a arhosodd yn gefn i mi drwy'r cyfan. Gan ei bod wedi dioddef o gancr y fron ddwywaith ei hunan, roedd hi'n fwy na pharod i ymgymryd â'r gwaith. Unwaith roedd hynny wedi ei wneud roedd pethe'n cynyddu fel pelen eira. Wrth i bobl glywed am yr apêl roedden nhw'n fwy na hapus i gefnogi mewn unrhyw ffordd bosibl, ac fe ddechreuodd yr arian lifo i mewn. Ond y nod o hyd oedd rhoi CD at ei gilydd er mwyn defnyddio'r elw at yr apêl. Dyma fi'n mynd ati felly i gasglu'r caneuon a gyfansoddais yn ystod fy salwch er mwyn mynd â nhw i lawr i Stiwdio Fflach yn Aberteifi i'w recordio. Erbyn hyn roedd wyth o ganeuon gyda fi – rhai ohonyn nhw wedi eu cyfansoddi yn ystod fy salwch a rhai a ddaeth wedyn. Roedd caneuon y salwch yn ganeuon oedd yn edrych ymlaen, nage caneuon trist, mewnblyg, ac roedd hynny'n bwysig i mi. Meddyliais y bydde'n braf cael recordio gyda rhai o'm ffrindiau sy'n berfformwyr yng Nghymru, ond roedd angen cân addas ar eu cyfer. Roedd Delyth Mai Nicholas eisoes wedi ysgrifennu geiriau, 'Ni sylwais i o'r blaen', ac fe ofynnes iddi nawr a fydde hi'n fodlon ysgrifennu cân fydde'n sôn am ferched a fu'n brwydro dros ein gwlad a thros hawliau merched, ac fe ddaeth hi 'nôl ymhen ychydig ddyddiau gyda 'Neges y Gân'.

NEGES Y GÂN

Fe safodd y ferch dros ei hawlie
Fe safodd nes ennill y dydd,
Gan godi'i llais yn uchel
A thorri o'i rhwymau yn rhydd,
Bu ambell un fel Gwenllïan
Yn arwain ar faes y gad,
Dangosodd eraill eu dewrder,
Trwy fynnu tegwch i'w gwlad.

Cytgan

Safwn ninnau gyda'n gilydd,
A cherddwn yn ein blaen;
Ie, cerddwn i'r dyfodol
A ffydd yn ein cân,
Am fod neges o hyd yn y gân.

Fe gofiwn am ymdrech Jemeima,
Yn arwain ei phobol yn hy,
Bu llawer un arall yn brwydro
A'u neges yn amlwg a chry;
Daw atgof am ferched a safodd
Yn gadarn dros heddwch y byd,
Gan adael teulu a chartre,
Aberthu y cyfan i gyd.

Mae merched ar hyd y canrifoedd
A ddaliwyd ym mreichiau serch,
Fe gofiwn am Dwynwen, a'n dysgodd
Am gariad rhwng mab a merch.

O, camwn ymlaen gyda hyder
Gan ddangos ein dawn a'n ffydd,
Cawn godi ein llais unwaith eto
Wrth i ni ennill y dydd.

Er nad o'n i'n dal i deimlo gant y cant ar ôl yr holl driniaeth, roedd hi'n hyfryd cael mynd 'nôl i'r stiwdio i recordio. Os oedd y corff yn wan, roedd yr ysbryd yn gryf. Ymhen munudau roeddwn ar y ffôn ac fe ofynnais i Siân James, Gillian Elisa, Iona Myfyr, Tony Caroll a Beth Robert i ganu 'Neges y Gân' gyda mi. Fe gawsom ddiwrnod bythgofiadwy yn ei recordio hi yn y stiwdio, diwrnod llawn o hwyl a sbri, ac roedd hi'n hyfryd cael eu cwmni nhw eto. Roedd Siân James wedi cyfansoddi cân i mi, sef 'Cwch dy Freuddwyd' – y geiriau gan y Prifardd Tudur Dylan Jones, a Siân wedi cyfansoddi'r alaw ar y piano. Fe recordion ni hi fel deuawd ar y CD, ac mae'n gân arbennig.

A sôn am Tudur Dylan, ychydig ar ôl gorffen y driniaeth roedd noson wedi'i threfnu yn Festri

Iona, Tony, fi, Beth a Siân yn y stiwdio recordio.

Bethesda, Tymbl, fel rhan o wythnos Gŵyl y Gwendraeth. Noson yng nghwmni'r beirdd oedd hi a Tudur Dylan yn ei harwain, ac wedi dod â'i ddosbarth cynganeddu gyda fe. Aeth Deris a fi draw i fwynhau'r noson, ac ar y diwedd yn deg daeth Tudur Dylan draw ata i a rhoi amlen i mi. Fe ddwedodd fod 'na eiriau yn yr amlen, geiriau a ddaeth iddo fe ar ôl iddo wrando ar *Dyddiadur Gwenda* ar y radio. Roeddwn wrth fy modd wrth feddwl ei fod e wedi cymryd amser i ysgrifennu'r geiriau i mi, ac ar y ffordd adref o'r Tymbl y noson honno, fe dynnais y car i mewn wrth ochr y ffordd a dechrau darllen y geiriau, 'Mae'r dydd ar fin ymestyn'. Roedd yn rhaid i mi ddarllen y geiriau drwy ddagrau; roedden nhw mor arbennig ac agos ata i, ac yn syth fe ddechreuais hymian y gytgan. Fe ddaeth yr alaw mor naturiol oherwydd fod y geiriau'n shwd ysbrydoliaeth.

MAE'R DYDD AR FIN YMESTYN

Mae'r gaea'n pwyso'n drwm ar ddail y coed,
Yn pwyso ers y gaea cynta 'rioed,
Y mae'r dydd yn cau'i amranne
Ac mae'r nos yn gweld ei chyfle
I ddod â'r gwynt a'r glaw i 'nghalon i.

Cytgan

Ond mae'r dydd ar fin ymestyn
A'r haul yn llawn o dân,
Bydd y wawr yn wawr i aros
A bydd golau yn y gân.

Fe fydd adar ar y brigau
Er gwaetha'r cwmwl du,
Bydd adar yno i aros
Am mai un o'r adar hynny ydwyf i.

Mae llwybrau'r nos yn dirwyn fel o'r blaen
A neb yn gallu gweld y ffordd ymlaen.
Y mae'r dydd yn sychu'i ruddie
Rhag ofn daw mwy o ddagre,
Y dagre a fu ddoe'n fy nghalon i.

Gallaf godi 'mhen yn uchel,
Gallaf weld tu hwnt i'r gorwel,
Gallaf godi fry i'r awel
Gyda f'adenydd i.
Gallaf ganu gweddi dawel,
Gweddi o ddiolch i ti.

Y nod, wrth gwrs, oedd rhyddhau'r CD cyn gynted
â phosibl. Roeddwn yn awyddus i godi'r arian
i'r Uned ar gyfer yr ymchwil oedd mor bwysig i
Dr Joannides a'i gleifion. Nage jest ymdrech i godi
arian oedd hwn – bydde'r ymchwil yma yn fodd i
achub bywydau pobl. Gan 'mod i mor ddiolchgar am
fy ail gyfle, roeddwn yn benderfynol o gydnabod y
ddyled wrth godi'r arian angenrheidiol. Roedd yn
agosáu at haf 2000 ac roedd Eisteddfod Genedlaethol
y mileniwm yn Llanelli ar y gorwel. Bydde'n hyfryd
cael gorffen y CD erbyn yr Eisteddfod er mwyn ei
werthu ar y maes. Roedd pawb mor garedig tuag at yr

apêl, pawb yn rhoi yn ôl eu gallu, ac roedd pob ceiniog yn cyfri er mwyn chwyddo'r gronfa.

Roedd fy ffrind, yr actor Ioan Hefin, wedi cytuno i dynnu lluniau i mi ar gyfer clawr y CD. ''Sa i moyn dim byd am y lluniau, Gwenda,' ddwedodd e. 'Dyma'r ffordd wy'n teimlo 'mod i'n gallu cefnogi dy apêl.'

Mae'n un peth i wneud CD; mae'n beth cwbl wahanol i'w farchnata a'i ddosbarthu i'r siopau. Yn garedig iawn, fe gytunodd Tudur Lewis, oedd yn gweithio fel dosbarthwr i gwmni recordiau Sain, i wneud yn siŵr fod y CD yn cyrraedd pob siop

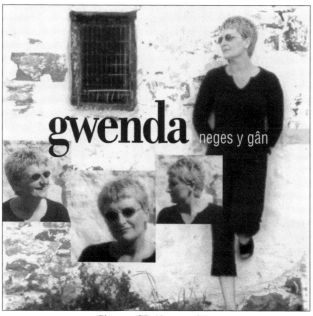

Clawr y CD *Neges y Gân*.

Gymraeg yng Nghymru. Roedd e'n driw i'w air ac fe weithiodd yn galed i sicrhau fod cyflenwad llawn gan bawb. Roedd *Neges y Gân* yn barod erbyn wythnos yr Eisteddfod, ac unwaith y cyrhaeddodd e'r maes, dechreuodd werthu'n syth.

Roedd yr ardal wedi bod yn paratoi am yr Eisteddfod ers blynyddoedd, wrth gwrs, ac yn edrych ymlaen yn eiddgar at ei chroesawu ym mlwyddyn y mileniwm, a minne hefyd wedi edrych ymlaen at wella er mwyn cael bod yno. Roeddwn yno am y tro cyntaf ar fore Sul cynta'r Eisteddfod ar gyfer oedfa'r bore yn y Pafiliwn. Fy ffrind, Delyth Mai, oedd yn gyfrifol am drefnu'r oedfa. Roedd hi wedi trefnu cyflwyniad ar y cyd rhwng plant Ysgol Maes yr Yrfa, lle roedd hi'n bennaeth yr Adran Ddrama, a phlant Ysgol y Strade, ac fe ofynnodd i mi ganu'r emyn 'Pererin wyf' fel rhan o'r gwasanaeth, a gofyn i Geinor i'w chanu gyda fi. Anghofia i byth y profiad hwnnw. Roeddwn wedi edrych ymlaen gymaint at gamu 'nôl ar lwyfan, ond dyma fi'n dod 'nôl i lwyfan yr Eisteddfod Genedlaethol! Roedd y Pafiliwn yn llawn o bobl ac wrth gerdded ymlaen roeddwn i'n teimlo'n eitha emosiynol. Roedd 'na naws hyfryd yn y Pafiliwn ac fe lifodd sawl deigryn yn yr oedfa y bore hwnnw.

Roedd y CD erbyn hyn yn gwerthu mor dda, a thrwy garedigrwydd pobl oedd yn cyfrannu'n bersonol roedd yr apêl yn dechrau cydio o ddifri a'r gronfa'n cynyddu. Fe benderfynais drefnu cyngerdd a'i chynnal yn Neuadd Pontyberem er mwyn diolch i bawb am eu cefnogaeth, ac i gyflwyno siec i Dr Joannides a Sister Anwen o'r Uned ar yr un noson. Roedd angen tipyn o waith i'w drefnu ond fe gytunwyd ar ddyddiad, sef nos Sadwrn, Tachwedd 25, ac roedd Radio Cymru wedi addo dod i recordio'r noson fel uchafbwynt a diweddglo i *Dyddiadur Gwenda*. Y gyngerdd fydde'r rhaglen oedd yn cloi'r gyfres. Byddai'n glo arbennig, gan fy mod drwy'r oriau tywyll 'na wedi gobeithio shwd gymaint am gael cyfle i droedio'r llwyfan unwaith eto, a hon nawr oedd y gyngerdd i 'nghroesawu 'nôl.

Roedd Hefin Ellis o gwmni teledu Tonfedd wedi cysylltu erbyn hyn i ofyn a fydde 'da fi ddiddordeb mewn gwneud rhaglen ar gyfer S4C yn sôn am fy salwch. Mae gwneud rhaglen deledu yn hollol wahanol i wneud rhaglen radio; mae cyfrwng gweledol yn dod â chamerâu a goleuadau a setiau a phob math o gymlethdodau eraill yn ei sgil. Roedd hi'n anodd iawn gwybod beth i'w wneud. Roedd y driniaeth ar ben ac roedd hwn yn ddechrau newydd, ond bydde gorfod mynd yn ôl i siarad amdano eto fel agor hen graith. Ar ddiwedd y dydd roedd e'n mynd yn ôl at y sgwrs 'na gyda Dr Joannides pan ddwedodd e y bydde siarad amdano'n gymorth i rywrai eraill, felly fe fodlonais wneud y rhaglen. Roeddwn wedi gweithio lawer tro gyda Hefin Ellis a gweddill y criw o gwmni Tonfedd. Nhw oedd yn cynhyrchu'r *Noson Lawen* ac roedd Hefin yn ddigon o ffrind i mi allu mentro siarad yn agored ag ef; roedd gen i ddigon o ffydd ynddo y bydde'n creu rhaglen onest ac

165

effeithiol a fydde'n trosglwyddo fy mhrofiad yn glir i'r sgrin fach.

Daeth Hefin a'r criw ffilmio i Gapel Ifan ar ddydd Gwener, Tachwedd 3, er mwyn dechrau ffilmio. Roedden nhw wedi penderfynu taw awr o raglen fydde hi, a'i henw fydde *Neges y Gân*, yr un peth â'r CD. Byddent yn sgwrsio gyda fi am fy mhrofiad ac yn torri'r sgyrsiau rhwng caneuon ac awyrgylch noson y gyngerdd yn y Neuadd. Roedd y profiad o ail-fyw y cyfan mor rhyfedd ac yn anodd ar adegau, ond roeddwn yn gwybod erbyn hyn fod *Dyddiadur Gwenda* wedi helpu cymaint o bobl; roeddwn i'n siŵr, felly, 'mod i'n gwneud y peth iawn ac roedd siarad gyda Hefin am y profiad yn teimlo'n gwbl naturiol.

Yn y cyfamser roedd Huw Llywelyn wrthi'n fishi yn trefnu'r rhaglen radio o gwmpas yr un gyngerdd. Gofynnodd a fyddwn yn fodlon iddo chwarae rhyw ddeg munud o *Dyddiadur Gwenda* i'r gynulleidfa cyn i ni ddechrau'r gyngerdd. Ar yr un pryd bydde sgrin deledu fawr yn dangos lluniau ohonof i gyd-fynd â'r tâp oedd yn chwarae. Esboniodd ei fod yn awyddus i wneud hynny er mwyn atgoffa pobl pam eu bod nhw yno ac i danlinellu pwysigrwydd yr apêl a 'nheimlade i am y ffordd ymlaen wrth geisio ymchwilio i wella triniaethau *chemotherapy* i'r dyfodol.

Roedd trefnu'r gyngerdd yn dipyn o waith; roedd yn rhaid dewis y caneuon, ymarfer gyda'r band a cheisio sicrhau fod y neuadd yn barod, ond erbyn hyn roedd pob tocyn wedi'i werthu, dros chwe chant a hanner ohonyn nhw, ac roeddwn i'n edrych ymlaen yn fawr at y noson.

Cefais ymarfer gyda'r band fan hyn yng Nghapel Ifan, ddiwrnod cyn y gyngerdd. Peter Williams o Abertawe oedd y Cyfarwyddwr Cerdd, a fe oedd yn chwarae'r allweddellau ar y noson; Gwyn Jones, neu Gwyn 'Maffia' fel mae pawb yn ei alw, oedd ar y drymiau; Hywel Maggs oedd ar y gitâr, Wyn Jones ar y gitâr fâs a Christopher Davies hefyd ar yr allweddellau. Roedd Henry Sears yn cyfeilio ar y ffidil a Geraint Cynan ac Angharad Brinn yn canu lleisiau cefndir. Roeddwn wedi trefnu i Geinor ymuno â mi i ganu 'Mae'r dydd ar fin ymestyn', gan ei bod wedi bod yn canu tipyn gyda fi yn y tŷ pan oeddwn yn cael y driniaeth. Mae ganddi lais arbennig – roedd hi newydd orffen chwara'r brif ran yng nghyflwyniad Ysgol Maes yr Yrfa o'r sioe gerdd, *Grease,* y pryd hynny – ac roeddwn wedi addo iddi hi y bydde hi'n cael canu gyda fi ar ôl i mi wella. Aeth y rihyrsal yn wych; mae'n gysur mawr cael eich amgylchynu â cherddorion proffesiynol a phrofiadol: r'ych chi'n gwybod eich bod mewn dwylo saff.

Erbyn diwrnod y gyngerdd roeddwn yn edrych ymlaen at gyrraedd y llwyfan a dechrau canu – a hynny o flaen fy mhobl i, pobl Cwm Gwendraeth, ffrindiau a chefnogwyr oedd wedi bod yn gefen drwy gydol y salwch. Roeddwn yn teimlo'n emosiynol iawn fod y cyfle wedi dod o'r diwedd i gael camu 'nôl i'r llwyfan, ac i allu gwneud hynny yn eu cwmni da nhw. Tua un ar ddeg o'r gloch y bore es i lawr i'r Neuadd ym Mhontyberem a dyna lle roedd llond y lle o gerbydau Radio Cymru a Barcud yn paratoi ar gyfer y noson. Unrhyw bryd nawr bydde'r merched yn dechrau cyrraedd ac roeddwn yn edrych ymlaen at eu croesawu nhw, Gillian a Siân a Iona a Tony a Beth. Roedd popeth yn ei le a phawb yn fishi – yn rhedeg gwifrau a pharatoi'r llwyfan a gosod y set a threfnu byrddau. Rwy'n cofio'n dda iawn sefyll yng nghanol yr holl brysurdeb yna y bore hwnnw a meddwl, 'Mae hyn i gyd yn digwydd oherwydd 'mod i wedi cael cancr. On'd yw bywyd yn rhyfedd? Ond wy 'ma!', wedes i wrthof fy hunan wedyn, ac roeddwn i mor ddiolchgar am hynny. Cyn bo hir roedd y merched wedi cyrraedd ac ar ôl ymarfer roedden ni i gyd yn barod am y noson.

Mae yna gymdeithas arbennig o ddynion yn cwrdd i drefnu pob math o weithgareddau diwylliannol a chymdeithasol yn y Cwm ac yn galw'u hunain yn 'Crwydriaid Crwbin'. Roedden nhw, yn garedig iawn, wedi cytuno i ofalu am redeg y bar y noson honno ac i werthu brechdanau hanner amser. Troeon nhw lan ar y noson, pob un ohonon nhw mewn crysau gwyn a dici-bows du, chwarae teg iddyn nhw! Roedd y gyngerdd i fod i ddechrau am 7.30, ac erbyn chwech o'r gloch roedd pobl yn ciwio tu fas yn barod. Bydde hwn yn hwb ardderchog i'r apêl gan fod yr holl elw, gan gynnwys arian y drws, yn mynd i chwyddo'r coffrau.

Poster y gyngerdd.

Roeddwn yn nerfus iawn wrth baratoi, yn treial gwisgo a rhoi colur. Roeddwn wedi derbyn blodau a chardiau gan nifer o bobl yn dymuno pob llwyddiant i mi ac i'r apêl. Roedd pawb tu ôl i'r llwyfan yn teimlo'n gyffrous iawn ac roedd yna awyrgylch arbennig a'r merched i gyd yn edrych ymlaen at gael bod yn rhan o'r noson. Wrth i mi eistedd yno'n paratoi, daeth cnoc ar ddrws yr ystafell wisgo ac fe gefais i shwd sioc – yno roedd ffrindiau i mi, sef Nesta ac Ifan Dobson, wedi dod lawr yr holl ffordd o'r Bala i fod gyda mi ar y noson. Roedd hi'n hyfryd i'w gweld nhw ac yn golygu shwd gymaint i mi eu bod wedi mynd i'r drafferth o ddod lawr yr holl ffordd i ymuno â mi.

Ymhen ychydig daeth yr alwad i fynd y tu ôl i'r llwyfan. Roedd Ifan Davies, Ifan JCB, wedi croesawu pawb i'r neuadd a Garry Owen, y cyflwynydd gwadd, wedi dechrau drwy siarad ychydig am *Dyddiadur Gwenda* a sôn am bwrpas y rhaglen. Yna, yn ôl y trefniant, chwaraewyd rhyw ddeg munud ohoni a dangos lluniau ar y sgrin fawr. Roedd pobman mor dawel, byddech chi wedi gallu clywed pìn yn cwympo!

Roedd sefyll ac aros y tu ôl i'r llwyfan y noson honno'n brofiad na alla i fyth ei esbonio fe i chi. Roedd y noson yma'n golygu shwd gymaint i fi; roeddwn wedi edrych ymlaen ati hi drwy gydol fy salwch. A nawr wrth aros tu cefn i'r llwyfan roedd 'na bob math o emosiynau'n corddi tu fewn i mi, ond roeddwn yn dweud wrtho' i'n hunan drosodd a throsodd, 'Dim llefen, mae'n rhaid bod yn gryf, mae'r bobl yma i gyd yn llawen ac wedi dod i dy weld ti'n canu, nage llefen.' Ond roedd hi'n anodd; roeddwn i'n gallu teimlo emosiwn y gynulleidfa hyd yn oed cyn cyrraedd y llwyfan.

A gyda hynny, dyma Garry Owen yn dechrau dweud wrth y gynulleidfa gymaint o'n i wedi hiraethu am y noson yma, 'A rhowch groeso cynnes iawn i Gwenda Owen,' ac fe gerddais i mas. Pymtheg cam bach, ac o'n i wedi cyrraedd canol y llwyfan, ond roedd e'n gam anferthol mewn ystyr arall. Roedd cymeradwyaeth a chroeso'r gynulleidfa'n anhygoel. Roedd pawb ar eu traed yn bloeddio gweiddi. Rwy'n cofio gweld Val o'r pentre ynghanol y gynulleidfa; roedd hi wedi gwneud baner fawr ac wedi ysgrifennu drosti hi i gyd, 'Croeso 'nôl, Gwenda'. Anghofia i byth mo'r croeso y noson honno; alla i ddim dechrau esbonio sut mae cynulleidfa dwymgalon, ac yn arbennig y gynulleidfa y noson honno, yn gallu eich codi chi a'ch cynnal chi. O 'mlan i yn y gynulleidfa o'n i'n gallu gweld Dr Joannides a'i deulu, a Sister Anwen a'i chwaer. Roedden nhw i gyd yn gwenu arna i wrth i mi eu croesawu i Bontyberem ac i'r gyngerdd ac roedd hi'n hyfryd cael dweud yn onest a heb flewyn ar dafod o'r llwyfan, 'If it wasn't for you and your team, I wouldn't be standing here tonight singing to you. Thanks for giving me a second chance in life.' Wrth eu hymyl nhw roedd Ira Williams, trysoryddes yr apêl, a Mam a Dad. Roedd hi'n noson fawr iddyn nhw a'r teulu hefyd, ac roedden nhw'n llawn dagrau o lawenydd.

Ira, Sister Anwen, Dr Joannides a fi adeg cyflwyno siec elw'r apêl.

Roedd yn fraint i mi yn ystod y noson i alw Dr Joannides i'r llwyfan er mwyn cyflwyno siec iddo ar ran fy apêl. Roedd yr arian a godwyd trwy werthiant y CD a rhoddion unigol wedi chwyddo'r gronfa i £16,120. Roedd haelioni pobl wedi golygu fod yna newyddion da ym Mhontyberem y noson honno. Fe glywn yn ddigon aml am y pethe gwael sy'n digwydd yn ein byd ni – dyna sy'n llenwi rhaglenni newyddion. Ond anaml y byddwn yn clywed am y pethe da ac am haelioni pobl sy'n cefnogi achosion da a rhoi yn hael o'u hamser a'u harian. Ond mae 'na bobl sbesial iawn i gael, sy'n rhoi i'r eithaf er mwyn cefnogi pobl mewn angen, ac roedd y siec a'r holl filoedd o bunnoedd y noson honno yn dystiolaeth o hynny.

Yn yr ail hanner daeth y merched i'r llwyfan i ganu 'Neges y Gân'. Dyna i chi ganu, a phawb yn gwerthfawrogi eu parodrwydd a'u hymdrech i ddod i ymuno yn y noson. A wedyn daeth yn amser i mi alw Geinor i'r llwyfan i ymuno â mi i ganu 'Mae'r dydd ar fin ymestyn'. Heblaw am oedfa'r bore yn yr Eisteddfod, hwn oedd y tro cyntaf i ni ein dwy ganu gyda'n gilydd ar lwyfan. Cafodd Geinor groeso mawr ac roedd pawb yn gwrando'n dawel ar y gân. Roedd yn brofiad arbennig o emosiynol i'r ddwy ohonom ac roeddwn i mor falch dros fy merch. Roedd hi wedi dod drwy'r cyfan gyda fi, ac wedi bod yn gefen mawr i mi hefyd. Cyn diwedd y noson fe ddaeth Linda, fy chwaer, i ganu 'da fi hefyd a phawb yn y Neuadd ar eu traed yn morio canu gyda ni. Roedd hi'n noson heb ei hail.

Fe dderbyniais i gannoedd o gardiau gan bobl ar draws Cymru gyfan, a blodau drwy'r post hefyd. Roedd

Geinor a finne ar lwyfan *Neges y Gân*.

173

pawb yn eithriadol o garedig ac mae'r gefnogaeth honno'n amhrisiadwy. Ar ôl y gyngerdd cefais gerdd yn anrheg, englyn gan fardd o'r Cwm, sef Heddwyn Jones.

NOSON GWENDA YN NEUADD PONTYBEREM

Ei chur sy'n tywys ei cherdd – y neuadd
Yw heuwr ei hangerdd,
Ei chyngor nos ei chyngerdd
Mor felys ei hynys werdd.

Cafodd y rhaglen ei darlledu ar S4C ar Ragfyr 28 ac fe ddarlledwyd y gyngerdd fel pennod olaf *Dyddiadur Gwenda* ar Ddydd Calan 2001. Wrth edrych 'nôl ar y gyngerdd, mae'r atgofion yn rhai melys a hyfryd, ond erbyn hyn mae dros ddeng mil o bunnoedd yn fwy wedi dod mewn i'r gronfa, sy'n golygu fod y cyfanswm erbyn hyn wedi codi i dros £26,000. Mae hi wedi bod yn werth yr ymdrech, a thra 'mod i ag anadl i ganu fe fydd yr apêl yn dal i fynd.

Ond roedd blwyddyn newydd ar y trothwy, a'r rhagolygon am y flwyddyn honno mor wahanol i'r flwyddyn cynt, pan fu'n rhaid i mi gael help i gyrraedd y ffenest er mwyn gweld y tân gwyllt oedd yn croesawu'r mileniwm newydd. Nawr roedd 'na reswm i ddathlu, ac i groesawu'r flwyddyn newydd yn hyderus. Roeddwn wedi cael gwahoddiad gan Radio Cymru i ganu gyda nifer o artistiaid eraill yng Nghyngerdd y Mileniwm gyda Cherddorfa Gymreig y BBC yn cyfeilio i ni. Roedd yn gyfle hyfryd i gael canu gyda cherddorfa lawn y tu ôl i mi ar y llwyfan. Roedd eu chwarae yn fy nghario drwy fy mherfformiad ac roedd yn brofiad hyfryd a newydd. Cafodd y gyngerdd ei chynnal yn Llandudno ac roedd y croeso a gawsom yn un arbennig iawn, pob sêt yn llawn a chyfle i ymuno â phrif artistiaid Cymru.

Oedd, roedd pethau'n edrych yn addawol iawn ar ddechrau'r flwyddyn newydd ac fe ddaeth newid arall hefyd. Fe ddaeth y flwyddyn newydd â pherson annwyl ac arbennig iawn i 'mywyd i. Fy nghariad i, Emlyn, neu Ems fel byddaf yn ei alw fe. Yn syth ar ôl i mi gyfarfod ag Emlyn roeddwn i'n gwybod ei fod yn ddyn arbennig iawn. Mae'n annwyl a theimladwy tu hwnt, ond yn hoff iawn o dynnu coes. Ac mae'n gwneud i fi chwerthin. O fewn ychydig bach iawn o amser roedd y ddau ohonom wedi syrthio dros ein pennau a'n clustiau mewn cariad â'n gilydd. Mae'n beth rhyfedd iawn i'w ddweud, ond erbyn heddiw rwy'n teimlo ei fod e wedi bod yn fy mywyd i erioed. R'yn ni fel un – y ffordd orau alla i ei ddisgrifio fe yw fel *soul-mate* – r'yn ni mor agos â hynny, ac mae bywyd yn llawer melysach gyda fe. Fe fydda i'n dweud wrtho'n aml na fyddwn yn gallu byw hebddo fe bellach ac mae e'n gofyn i fi'n aml, 'Ble wyt ti wedi bod yn cwato? 'Wy wedi bod yn chwilio amdanat ti ers dros chwarter canrif! Meddylia,' mae'n dweud, 'dy fod ti wedi bod yn byw yn yr un cwm â fi.'

A dyna'n gwmws fel 'wy'n teimlo 'fyd! Maen nhw'n dweud fod brân i bob brân yn rhywle; wel, fe

Ni ein dau.

ffeindies i fy un i o'r diwedd. Mae bywyd Emlyn a fi wedi blodeuo i fod yn un hapus iawn. Mae e'n dod â'r gorau allan ohonof i ac yn rhoi rhyw gryfder mewnol i fi na alla i ddechrau ei esbonio i chi.

Gweinidog llawn amser yn y Cwm yw Emlyn, yn gweinidogaethu ar hyn o bryd yng Nghapel Seion, ger Drefach; Hermon, Llannon, a Moreia yn y Meinciau. Rydyn ni'n rhannu'r un diddordebau; mae Emlyn, fel finne, yn hoff iawn o gyfansoddi caneuon a chwarae'r gitâr, ac mae ganddo ddawn arbennig i wneud hynny. Mae cerddoriaeth iddo fe, fel mae hi i fi, yn chwarae rhan ganolog yn ei fywyd. Does yr un diwrnod yn mynd heibio heb ei fod yn cydio yn y gitâr i'w chwarae. Mae ganddo ddawn ryfeddol gyda geiriau; mae e'n eu deall a'u gwerthfawrogi, ac mae hynny'n bwysig iddo.

Ychydig ar ôl i mi gwrdd ag Emlyn, fe gyfansoddodd e gân oedd yn sôn am y ffordd ymlaen yn ei fywyd ef, sôn am edrych ymlaen at ennill tir, a dod o hyd i gariad go-iawn. Fe ddaeth e draw a dweud wrtha i mai fi oedd y goleuni roedd ei gân yn sôn amdano a gofyn a fyddwn i'n barod i'w chanu ar dâp er mwyn ei hanfon i gystadleuaeth *Cân i Gymru 2002?* Roedd dyddiad cau'r gystadleuaeth ymhen rhyw bedwar diwrnod ac fe genais yr alaw a Geinor yr harmoni, a'i rhoi ar dâp. 'Dagrau Ddoe' oedd ei henw. O fewn rhyw wythnos neu ddwy cafodd Emlyn wybod fod y gân wedi mynd drwodd i'r wyth olaf fydde'n cystadlu yn erbyn ei gilydd yn y Pafiliwn Rhyngwladol yn Llangollen ar Ddydd Gŵyl Dewi. Gan fy mod i wedi ennill y gystadleuaeth unwaith o'r blaen, roeddwn i'n meddwl y bydde'n beth braf i Geinor ei chanu yn y gystadleuaeth y tro hwn. Un ar bymtheg oed oedd Geinor ar y pryd, ond fe fodlonodd i ganu'r gân i Emlyn. Roedd yn hyfryd i ni i gyd fel teulu fod Emlyn drwodd i'r wyth olaf ac mai Geinor oedd yn mynd i ganu'r gân. Roedd hanes yn dechrau ei ailadrodd ei hunan ac roedd e'n mynd i fod yn brofiad arbennig i Geinor.

Yn anffodus, roedd y gystadleuaeth yn Llangollen ar yr union adeg pan oedd clwy'r traed a'r genau'n dechrau cydio go-iawn, ac roedd hi'n amhosibl i gael caniatâd i gynulleidfa ddod draw ar y noson oherwydd y gwaharddiadau. Roedd y pleidleisio felly i ddigwydd dros y ffôn yn unig. Roedd y diwrnod

177

hwnnw'n un arbennig iawn, ac roedd digon o gyffro ar waetha'r ffaith nad oedd cynulleidfa fyw yn mwynhau'r noson. Yn ddigon rhyfedd, roedd 'na eira ar lawr ar y noson honno hefyd, yn gwmws fel oedd ym Mhontrhydfendigaid chwe blynedd ynghynt. Roeddwn i wedi dod â'r daffodil silc a roddodd Gareth a Heulwen i mi bryd hynny wrth i mi deithio i Bontrhydfendigaid i gystadlu, ac roeddwn wedi bwriadu ei roi i Geinor cyn iddi fynd ar y llwyfan. Yn anffodus roedd y fenyw oedd yn gyfrifol am y gwisgoedd yn teimlo nad oedd yn siwtio gwisg Geinor. Fe rois i'r daffodil i Emlyn, felly, ac fe wisgodd e hi ar ei siaced gan obeithio y deuai ychydig o lwc heibio y tro hwn hefyd.

Geinor oedd yr ail i gystadlu, ac roeddwn i tu ôl i'r llwyfan yn edrych ar y sgrin fawr tra oedd hi'n canu. Roedd Eleri, merch Deris, a dwy o chwiorydd Emlyn, sef Gwen ac Olwen, gyda mi tu ôl i'r llwyfan. Roedd Olwen a'i theulu wedi dod draw o'r Iseldiroedd lle maen nhw'n byw, i ymweld â rhieni Emlyn yn Harlech, ac wedi manteisio ar y cyfle i ddod i gefnogi ar y noson. Ac wrth i ni sefyll yno'n edrych ar Geinor yn canu, rwy'n siŵr 'mod i'n fwy nerfus nag oeddwn i wrth ganu 'Cân i'r Ynys Werdd' flynyddoedd ynghynt. Doedd dim rhaid i mi fod – fe ganodd hi'n ardderchog, ac ar ôl dod 'nôl i gefn y llwyfan fe ddwedodd hi, ''Sdim ots os na enilla i, fe wnes i 'ngore.' Roedd hi'n eitha reit, fe ganodd y gân o'i chalon; roedd e'n berfformiad arbennig.

Cyn i ni sylweddoli bron, roedd y gystadleuaeth ar ben a'r gwylwyr gartref wedi cael cyfle i bleidleisio. Y cyfan oedd ar ôl oedd i Nia Roberts gyhoeddi'r enillydd ac, yn wir, pan ddaeth y canlyniadau, roedd 'Dagrau Ddoe' ymhell ar y blaen. Roeddwn wrth fy modd, rhywle rhwng chwerthin a llefen; roeddwn i mor browd o'r ddau ohonyn nhw. Roedd Emlyn a Geinor ar y ffordd i'r llwyfan erbyn hyn, Emlyn i dderbyn ei wobr a Geinor i ganu'r gân fuddugol. Roedden nhw'n funudau emosiynol iawn: roedd Geinor wedi bod mor gryf i mi ac wedi mynd trwy gymaint wrth fy helpu i drwy'r salwch, ond roedd ei hawr hi wedi cyrraedd nawr. Roedd y tri ohonon ni mor ecseited, roedd hi'n anodd credu'r peth. Roedd pawb yn dweud mai dyma'r tro cyntaf i fam a merch

Ennill *Cân i Gymru*, sylwch ar ddaffodil Emlyn!

ennill y gystadleuaeth ac mai Geinor oedd yr ieuengaf i ganu'r gân fuddugol yn hanes y gystadleuaeth, a chyda'r bleidlais uchaf hefyd.

Ar ôl ennill roedd y papurau newydd eisiau holi Geinor am y profiad o ennill mor ifanc, a sut brofiad oedd e i fam a merch ennill hefyd. Ond pan agorais i un papur a darllen am y gystadleuaeth, yr hyn a welais oedd, 'The song was written by Gwenda's boyfriend'! Roedd 'na un fantais i hyn, wrth gwrs – doedd dim rhaid i ni gyhoeddi'n carwriaeth wrth neb, gan fod y papurau newydd wedi gwneud hynny droson ni. Roedd yr hanes am Emlyn a fi a'r gân, a Geinor yn ei chanu, yn gwneud stori dda i'r cyfryngau. Nid bod 'na wahaniaeth i ni'n dau; roedden ni mewn cariad, a doedd dim problem 'da ni os oedd y byd cyfan yn cael gwybod hynny!

Gadawodd clwy'r traed a'r genau ei farc ar yr Ŵyl Ban Geltaidd hefyd, ac fe'i gohiriwyd am y tro cyntaf yn ei hanes. Roedd 'na edrych ymlaen rhyfedd wedi bod yn y Cwm at ymweld ag Iwerddon – roedd bysys o gefnogwyr yn mynd i ddod draw gyda ni – ond fe ddaeth y cyfan i ben pan benderfynodd llywodraeth Iwerddon nad oedd partïon o bobl yn cael teithio yno oherwydd bygythiad y clwy. Cysylltodd pwyllgor yr Ŵyl ag Emlyn a gofyn iddo anfon tâp o'r gân draw. Roedden nhw wedi gwneud yr un cais i awduron buddugol y gwledydd eraill hefyd, er mwyn iddyn nhw gael beirniadu'r gystadleuaeth ar dâp a chyhoeddi enillydd. Rhyw dair wythnos ar ôl i Emlyn anfon y tâp, daeth galwad i'r tŷ rhyw noson ac, fel mae'n digwydd, Geinor atebodd y ffôn. Roedd Emlyn a finne'n gallu gweld fod Geinor wedi dechre crynu ac yn methu dyfalu pwy oedd ar y ffôn na beth oedd wedi effeithio arni hi. Pan roeodd hi'r ffôn i lawr fe redodd hi draw ataf fi gan weiddi, ''Wy wedi ennill, 'wy wedi ennill!' Roedden ni i gyd yn dawnsio o gwmpas y tŷ yn dathlu, a Geinor wrth ei bodd. Bydde fe wedi bod yn neis cael mynd mas i berfformio'r gân ac i fwynhau'r *craic* gyda'r Gwyddelod, ond hwn oedd y peth nesaf ato fe, gan fod y gân wedi ennill yn yr Ŵyl Ban Geltaidd a Geinor wedi efelychu ei mam drwy ennill ar dir yr Ynys Werdd – er na roddodd hi arni 'ôl ei throed'.

Roedd bywyd erbyn hyn wedi dod yn ôl i ryw fath o normalrwydd, er fod cymaint wedi digwydd yn fy mywyd ers y salwch. Roeddwn wedi cael gwahoddiad gan gwmni Agenda i wneud deuddeg eitem ar gyfer *Heno*, sef sgyrsiau gyda rhai o brif artistiaid Cymru am eu gwaith a'u cerddoriaeth. Ar un o'r teithiau hynny daeth Emlyn gyda fi ac fe gefais gyfle i gwrdd â'i dad a'i fam am y tro cyntaf. Mae Jim a Mair Dole wedi ymddeol yn hapus i Harlech, lle maen nhw'n byw yng nghysgod y castell, a thrwy'r ffenest ffrynt mae 'na olygfa hyfryd o'r traeth a'r môr gyda'r Wyddfa draw ar y gorwel. Byddwn yn manteisio ar bob cyfle i ymweld â nhw yn Harlech; maen nhw'n bobl garedig a chroesawgar tu hwnt. Ac mae Harlech yn hyfryd, yn llawn o siopau *antiques*, ac fe fyddwn yn treulio oriau'n crwydro i edrych – a phrynu

Dad a Mam gyda rhieni Emlyn, Jim a Mair Dole.

weithiau hefyd. Rhwng yr eitemau i *Heno* a'r cyngherddau cyson, roeddwn yn ôl ar yr hewl yn crwydro Cymru, ac fe ddaeth cyfle i mi grwydro ymhellach hefyd pan ddaeth gwahoddiad i ymweld â'r Ŵyl Ffilmiau Geltaidd oedd i'w chynnal y flwyddyn honno yng Nghernyw. Roedd un o raglenni *Dyddiadur Gwenda* wedi ei henwebu ar gyfer tlws y 'Rhaglen ddogfen radio' orau yn yr Ŵyl. Aeth Emlyn a fi lawr i Truro a joio mas draw – roedden ni'n aros dros nos yn Falmouth – ac fe gawsom ddau ddiwrnod wrth ein bodd yn mwynhau croeso Cernyw ar ei orau.

Roedd un cyffyrddiad hyfryd eto i ddod yng nghyd-destun *Cân i Gymru* a'r ffaith ein bod ni'n dwy wedi dod i'r brig yn y gystadleuaeth. Roedd dylanwad llwyddiant Geinor yn parhau ac fe barodd e mewn gwirionedd hyd at haf 2002 a'r Eisteddfod

Genedlaethol yn Nhyddewi. Roedden nhw wedi penderfynu y bydde cyngerdd y Pafiliwn ar y nos Iau yn gyngerdd enillwyr *Cân i Gymru*; cyfle i edrych yn ôl ar y caneuon buddugol yn y gystadleuaeth dros y chwarter canrif diwethaf ac i glywed rhai ohonyn nhw eto. Cefais wahoddiad i ganu 'Cân i'r Ynys Werdd' a Geinor i ganu 'Dagrau Ddoe', ac yna roeddem i fod i ymuno mewn deuawd i ganu'r gân ganodd Heather Jones pan enillodd hi'r gystadleuaeth, 'Pan Ddaw'r Dydd'. Felly, ar ddiwrnod gwlyb a stormus, fe gyrhaeddon ni Faes yr Eisteddfod yn Nhyddewi a rhuthro drwy'r glaw i ddiogelwch a chysgod y Pafiliwn. Roedd pob sedd yn llawn ac fe gawsom noson hwylus, gydag artistiaid amrywiol yn dod 'nôl i ganu'r hen ffefrynnau ac i ddeffro'r atgofion sy'n perthyn i hanes cystadleuaeth *Cân i Gymru*.

Yn ôl tua diwedd y gwanwyn fe glywodd Emlyn ei fod wedi ennill cystadleuaeth gyfansoddi arall. Roedd Undeb yr Annibynwyr wedi trefnu gŵyl fawr, 'Diwrnod i'r Brenin', i'w chynnal ym mis Medi y flwyddyn honno ar faes y Sioe yn Llanelwedd. Roedd e wedi gofyn i Geinor a minnau ganu'r gân ar dâp, ac ar ôl ei anfon i mewn fe gafodd glywed ymhen tipyn ei fod wedi ennill y gystadleuaeth. Dyma ni felly yn cael cyfle i ganu'r gân o flaen rhyw fil a hanner o bobl yn yr ŵyl ym mis Medi ac fe ddaeth *Dechrau Canu, Dechrau Canmol* yno i recordio. Roedd hi'n hyfryd cael bod yn rhan o'r dathliadau.

Ychydig wedi hynny roeddwn i'n ôl yn Ysbyty

Prince Philip yn cael un o'r *check-ups* arferol – neu MOT, fel bydda i'n eu galw nhw weithiau. Wrth i ni gerdded ar hyd y coridor yn yr ysbyty, daeth Simon Holt heibio i ni yn gwisgo ei ddillad theatr. Fe welodd ni a dod draw: 'I'd like a word with you, Gwenda; could you go over to my room and I'll be with you now?' Carlamodd fy nghalon a dyma fi'n troi at Emlyn.

'Beth ti'n meddwl sy'n bod?'

Chi'n cofio fi'n dweud nag yw'r cancr byth yn eich gadael chi? Wel, wrth gerdded draw i'w ystafell e o'n i'n dechre dychmygu pob math o bethe, fod 'na rywbeth mawr o'i le arna i 'to. Daeth Mr Holt cyn bo hir ac fe ofynnodd e, 'Could you do me a favour, Gwenda?' 'Yes,' atebes i, 'what is it?' 'I was wondering whether you would be willing to open the new Breast Unit here at the Hospital.' Heb oedi, fe ddwedais i, 'Yes, of course, it would be a pleasure to open it.'

Roedd y gymdogaeth leol wedi bod yn fishi'n codi arian er mwyn adeiladu Uned y Fron yn yr Ysbyty, uned fydde nid yn unig yn cynnwys yr offer diweddaraf ond yn uned gynhwysol fydde wedi'i chynllunio a'i hadeiladu'n bwrpasol ar gyfer menywod gyda chancr y fron. Roedd hi hyd yn oed yn cynnwys ystafell dawel, lolfa gysurus lle bydde modd trin a thrafod gyda chleifion mewn awyrgylch mwy anffurfiol a llai oeraidd. Drwy haelioni a charedigrwydd y cyhoedd roedd yr Uned wedi ei gorffen ac fe aeth Mr Holt â ni'n dau o gwmpas i gael gweld y cyfan. Roedd hi'n hyfryd, ac yn bopeth y dylai fod, ac roedd e wedyn yn gofyn i fi ei hagor! Roedd hi'n fraint ac yn anrhydedd i gael gwneud hynny, ac fe ddigwyddodd mewn seremoni gyhoeddus yn Ysbyty Prince Philip ddydd Sadwrn, Hydref 27, 2001. Roedd yn gam ymlaen yn y frwydr yn erbyn cancr y fron, ac yn ddiwrnod mawr i fi, ac i'r holl ferched fydd yn derbyn triniaeth yno. Roeddwn yn teimlo fy mod i yno yn eu cynrychioli nhw ac fe ddwedais i hynny yn fy araith y bore hwnnw; roedd hi'n hyfryd cael atgoffa pawb am y tîm arbennig sy'n gweithio yno dan arweiniad diogel Mr Holt. Ces i gyfle i'w canmol nhw am eu hymroddiad cydwybodol a'u hymdrechion diflino i

Simon Holt a fi ar achlysur agor Uned y Fron yn Llanelli.

sicrhau fod yna Uned bwrpasol erbyn hyn i ymladd cancr y fron. Mae'r cymorth a'r driniaeth yn ardderchog, a heb ei ail ym Mhrydain gyfan ac yn cael ei werthfawrogi nid yn unig gan ferched fel fi sydd wedi dioddef a chael triniaeth, ond gan y gymdeithas yn ehangach.

Rwyf wedi neidio ymlaen rhyw ychydig, oherwydd yn gynt y flwyddyn honno, tua chanol yr haf, fe benderfynais ei bod yn hen bryd i ryddhau CD newydd erbyn y Nadolig, casgliad o ganeuon ar y cyd gyda Geinor. Roedd hi'n canu gyda fi ym mhob cyngerdd erbyn hyn, felly roedd yn teimlo fel cam hollol naturiol i'w gymryd, ac fe ddechreuodd Emlyn a minne gyfansoddi caneuon ar ei gyfer. Mae'n rhyfedd sut mae'r syniadau am ganeuon yn dod weithiau. Rwy'n cofio rhywbryd yr haf hwnnw, roedd Emlyn a fi wedi mynd i Abertawe i siopa, ac wrth i ni gerdded yn ôl i'r maes parcio dyma Emlyn yn dechrau hymian rhyw alaw oedd yn ei ben, a dyma fi'n dweud wrtho, 'O, mae hwnna'n neis.'

Mae gan Emlyn yr un arfer â nifer o gyfansoddwyr – mae'n cario peiriant recordio bach o gwmpas gydag e, rhag ofn y daw rhyw ysbrydoliaeth o rywle. Roedd y peiriant yn y car ac roedd yn rhaid i Emlyn ganu'r alaw drosodd a throsodd yn ei ben nes inni gyrraedd 'nôl i'r car a'i recordio'n saff ar y tâp. Dyna sut gafodd y gân 'Ti, neb llai' ei geni. Dro arall roedden ni ar y ffordd adre o'r gogledd ac fe arhoson ni yn Aberaeron i gael pryd o fwyd. Ar ôl llenwi'n boliau yn y siop chips aethon ni am dro o gwmpas yr harbwr a draw at y môr. Mae'n rhaid fod 'na rywbeth yn yr awyr y noson honno; roedd hi'n noson hyfryd, ac fe ddwedodd Emlyn yn rhamantus iawn, 'Rwy'n teimlo mor hapus gyda ti.'

Y diwrnod wedyn roedd e wedi cydio yn y gitâr ac fe ddwedodd ei fod wedi cyfansoddi cân newydd i fi, a dyma fe'n dechrau ei chanu i mi. Roeddwn i mor hapus: roedd y gân mor hyfryd, ac mae'n arbennig i mi, gan mai sôn amdanon ni'n dau y mae hi, ac am y

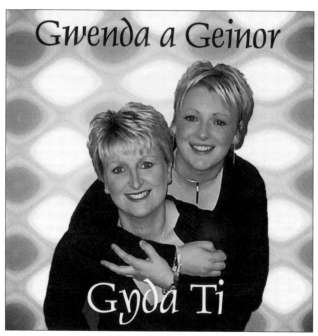

Clawr CD *Gyda Ti*.

noson honno wrth gerdded yr harbwr law yn llaw. Dyna sut ddaeth y gân 'Gyda Ti' i fod ac roedd yn ddigon naturiol i alw'r CD yn *Gyda Ti* hefyd gan mai dyma CD cyntaf Geinor a fi gyda'n gilydd.

Mae'n rhyfedd ac yn hyfryd sut mae bod mewn perthynas, caru rhywun a chael eich caru, yn dod â hyder newydd i chi. Fe wnaethom benderfyniad i sefydlu label recordio i mi fy hunan. Fe alwais y label yn *Cyhoeddiadau Gwenda* a'i gofrestru. Roedd yn gam hollol naturiol mewn ffordd; Emlyn a fi a rhai ffrindiau agos oedd yn cyfansoddi erbyn hyn, ac roedd hi'n braf gallu cofrestru'r caneuon ein hunain er mwyn cael y fantais a'r berchnogaeth lawn. Roedd e'n lot o waith ond yn werth pob munud. Gall hunan-reolaeth agor llawer mwy o ddrysau a dod â diogelwch a sefydlogrwydd hefyd. Roedd hefyd yn golygu fod y CD newydd, *Gyda Ti,* yn gynnyrch Cwm Gwendraeth: Emlyn a fi ysgrifennodd y rhan fwyaf o'r caneuon gyda chyfraniadau gan Gareth Williams o Bontyberem, Christopher Davies o Lannon, a Tudur Dylan. Tad Christopher, Roger Davies, oedd yn gyfrifol am gynllunio a graffeg clawr y CD ac fe gafodd ei recordio yn stiwdio Tim Hamill, Sonic One, yng Nghydweli. Recordiwyd rhyw ddeg o ganeuon i gyd, ac yn eu plith 'Dagrau Ddoe', y gân ddaeth i'r brig yng nghystadleuaeth *Cân i Gymru* a'r Ŵyl Ban Geltaidd yn Nhralee.

Mae recordio CD yn lot fawr o waith. Yn ogystal â'r gwaith paratoi o gyfansoddi caneuon, mae'r broses yn y stiwdio yn un greadigol ynddi'i hun. Mae trefnu'r caneuon yn waith caled – mae'n debyg i adeiladu tŷ; ar ôl gosod sylfaen ddiogel mae'n rhaid adeiladu'r gân ac ychwanegu'r tempo a'r offerynnau a'r lleisiau, ond rwy'n mwynhau'r elfen honno – mae'n bleser gweld y cyfan yn dod at ei gilydd yn un cywaith gorffenedig. Ond mae'n cymryd oriau; mae'n sioc weithiau, ar ôl cyrraedd y stiwdio yn y bore, mewn golau dydd, i gerdded allan gyda'r nos i ganol y tywyllwch. Tra oedden ni yn y stiwdio yn cymysgu *Gyda Ti*, roedd Geinor wedi derbyn gwahoddiad i ganu 'Dagrau Ddoe' mewn noson wobrwyo yn Neuadd y Tymbl, ac i fwynhau'r wledd hefyd gan ei bod hithau wedi ennill *Cân i Gymru*. Roedd Emlyn a

Geinor a fi yn y stiwdio recordio.

minnau yno'n cefnogi wrth gwrs, y ddau ohonom wedi gwisgo lan a minnau mewn *ball gown*. Ar ôl i ni fwyta ac i Geinor ganu, a phawb wedi gwneud eu hanerchiadau, roedd 'na gyfle i bawb gymdeithasu a mwynhau'r bar, ond roeddwn i'n gwybod fod Tim wrthi'n cymysgu yn y stiwdio a fan'na roedd fy nghalon i. Cyn gynted ag o'n i'n gallu, fe adewais i'r neuadd a chwrso lawr i'r stiwdio yng Nghydweli. Fe gafodd Tim sioc wrth fy ngweld i'n dod i mewn mewn *ball gown* ddu a *high heels* yn glitz i gyd!

Rwyf wrth fy modd yn cyfansoddi, a thros y ddwy flynedd ddiwethaf cefais gyfle i gyfansoddi ar gyfer dwy sioe gerdd yn y Cwm ac i fod yn Gyfarwyddwr Cerdd ar y ddwy hefyd. Prosiectau oedden nhw a gafodd eu cydlynu gan Fenter Cwm Gwendraeth. Roedd yn golygu cynnal gweithdai a rihyrsals ar gyfer Theatr Ieuenctid Cwm Gwendraeth dros yr haf, cyn perfformio'r sioeau yn yr hydref yn Neuadd Pontyberem. Roedd hefyd yn golygu cydweithio eto ag Arwel John; fe oedd yn gyfrifol am y sgriptiau.

Yn 2002, *Dal ein Tir* oedd enw'r sioe – cyfle i ddathlu eto lwyddiant pobl Llangyndeyrn ddeugain mlynedd ynghynt wrth iddyn nhw frwydro i atal Corfforaeth Ddinesig Abertawe rhag boddi cwm Gwendraeth Fach. Meddyliwch eu bod yn mynd i foddi'r cwm – lle mor hardd; mae'r olygfa wrth i chi yrru i lawr o Grwbin i gyfeiriad Llangyndeyrn yn drawiadol, mae e'n ddyffryn hyfryd. 'Nôl yn 1963, pan oedd Tad-cu a Mam-gu'n byw yn Alltycadno, roedd y bygythiad i'w tiroedd a'u ffordd o fyw yn un real iawn, ond fe ddaeth y ffermwyr a'r pentrefwyr at ei gilydd ac uno mewn brwydr i achub eu ffermydd a'u bywoliaeth. Roedd y gymdeithas gyfan wedi trefnu ymgyrch a'r ffermwyr wedi cloi'r clwydi a'u diogelu gyda pheiriant neu dractor ym mhob bwlch er mwyn rhwystro unrhyw waith. Allwch chi ddim mynd drwy Langyndeyrn heb basio'r sgwâr, ac yno ar ganol y sgwâr, yn sefyll yn gadarn ac yn urddasol, mae carreg fawr wedi'i chodi i nodi'r fuddugoliaeth, ac wedi ei naddu arni mae'r geiriau, *Mewn Undod mae Nerth*. Mae'n gofeb addas i bobl deyrngar y Cwm. Rydyn ni fel Cymry'n llawer rhy barod i gofio am y methiannau ac yn gallu bod yn araf iawn i ddathlu ein buddugoliaethau. Roedd yn hyfryd cael gweithio ar y sioe gan 'mod i'n teimlo rhyw agosatrwydd arbennig at Alltycadno a phentref Llangyndeyrn. Ym mynwent yr eglwys, dafliad carreg o'r gofeb, mae Mam-gu a Tad-cu wedi'u claddu, ynghyd â pherthnasau annwyl eraill.

Eleni, bywyd a gwaith y bardd Dylan Thomas oedd gwrthrych y sioe, sef *Tywysog y Trefi 'Fale*, gan ein bod yn cofnodi hanner canmlwyddiant ei farwolaeth. Unwaith eto roedd hi'n hyfryd cael cydweithio â'r bobl ifanc. Roedd eu brwdfrydedd a'u hymroddiad yn heintus ac roedd y perffformiad yn tystio i hynny. Roedd cael cyfle i gyfansoddi a chyfarwyddo cerddoriaeth y ddwy sioe yn ddatblygiad newydd i mi; mae'n waith caled ond yn newid llwyr o ganu a pherfformio fy hunan.

Mae'r canu wedi mynd â mi i sawl gwlad dros y blynyddoedd ond, dros gyfnod Gŵyl Ddewi, 2002, fe aeth â mi i ben draw'r byd. Mae ein ffrindiau ni, Clive a Mairwen, yn berchen ar fusnes yn Awstralia ac yn treulio rhai misoedd, ddwywaith y flwyddyn, yn byw mas 'na. Trwy eu caredigrwydd nhw aeth Emlyn a minnau mas gyda nhw dros gyfnod Gŵyl Ddewi 2002, i'w cartref nhw yn Rockingham, tref glan y môr rhyw dri chwarter awr o ddinas hyfryd Perth yng ngorllewin Awstralia – 'paradwys' mae Emlyn yn ei alw fe! Y bwriad yn ystod y daith oedd cynnal cyngherddau i'r Gymdeithas Gymraeg yn y rhan honno o Awstralia, ac ar ôl llwytho'r cesys a'r gitâr ar yr awyren yn Heathrow, dyma ni'n dechrau ar ein taith. Byddwn yn cymeradwyo i unrhyw un sy'n bwriadu ymweld ag Awstralia eich bod yn torri'r daith yn Hong Kong, nid yn unig er mwyn torri'r daith ei hunan, ond mae Hong Kong yn lle mor wahanol ac mae'r siopau'n anhygoel. Roedden ni yno am ddau ddiwrnod, a thrwy garedigrwydd Clive a Mairwen, yn aros yn yr *Hyatt Regency*, un o westai mwyaf moethus Hong Kong. Roedd yr hen drefedigaeth yn gyfarwydd ddigon i Clive a Mairwen ac fe gawson ni *tour* ganddyn nhw o gwmpas y ddinas, a chyfle i ymweld â siopau a marchnadoedd rhyfeddol, gyda phrisiau isel dros ben. Prynais i gymaint yno roedd yn rhaid prynu *suitcase* newydd i gario'r cyfan!

Mae'n daith hir ymlaen i Awstralia o Hong Kong ac roedd yr awyren wedi hedfan drwy'r nos, ond dyna hyfryd oedd hedfan yn gynnar y bore uwchben arfordir gorllewinol Awstralia. Mae'n wlad enfawr ac roedden ni'n gallu gweld y gwyrddni'n cydio'n dynn wrth yr arfordir, ond wrth edrych i mewn i'r tir roedd e'n fuan iawn yn troi'yn sgrwb ac yn anialwch – yr *Outback*. Roedd pobman yn edrych yn dwym o'r awyr, ac wrth i ni gamu mas o'r awyren, roedd awyr las Perth yn ein croesawu ni a'r tymheredd rhywle yng nghanol y tri degau; dyna lle arhosodd e gydol yr amser roedden ni yno, a 'sa i'n cofio i ni weld un cwmwl yn yr awyr. Roedd Clive wedi trefnu fod Emlyn yn pregethu mewn eglwys yng nghanol Perth ar y prynhawn dydd Sul.

Mae'r Cymry'n rhentu'r adeilad ar gyfer un oedfa'r mis ac wrth gwrs roedd hon i fod yn oedfa Gŵyl Ddewi. Roedd Clive wedi trefnu i mi ganu yn yr

Emlyn a fi yn y capel yn Perth.

oedfa ac fe gawson ni amser gwych yng nghwmni'r Cymry yno. Roedd y capel reit yng nghanol Perth, ac wrth i ni gerdded i mewn daeth menyw lan ata i a 'nghroesawu yn Gymraeg. Gofynnais iddi o ble roedd hi'n dod ac fe ddwedodd ei bod wedi dod i Perth o Aberystwyth, a hynny dros 35 o flynyddoedd yn ôl. Roedd ei Chymraeg yn berffaith a thafodiaith braf Ceredigion i'w glywed yn fyw ac yn iach ynghanol Perth. Yn y capel roedd hi fel bod 'nôl yng Nghymru. Roedd pobl o bob oedran yno, rhai'n Gymry alltud, rhai heb fod yng Nghymru erioed, ond eu rhieni nhw'n dod o Gymru. Roedd plant bach yno yn eu gwisg Gymreig, ac ar ddiwrnod chwilboeth yn Perth fe gawson ni oedfa hyfryd, Emlyn yn pregethu a fi'n canu. Gorffennais gyda 'Pererin Wyf' ac fe gododd honno ddeigryn neu ddau ymhlith y Cymry alltud, yn enwedig pan genais y pennill olaf, 'Mae hiraeth arnaf am y wlad . . .'

Ar ôl y gwasanaeth roedd pawb yn mynd drwodd i'r festri i cael te a pice ar y maen. Roedd hi'n hyfryd cael sgwrsio a chwrdd â phawb, a chlywed eu hanes. Daeth un fenyw lan ata i a dweud ei bod hi'n dod o Ferthyr Tudful. 'Oh, I'd love to go home to Wales,' meddai. Gofynnais iddi a oedd hi'n hapus yma yn Awstralia, 'Don't you enjoy it over here?' 'Oh yes!' atebodd hi. 'But I'd love to see the rain once again!' Roedd hi'n hiraethu am Gymru, meddai, ond erbyn hyn roedd ei phlant wedi priodi a'u plant eu hunain ganddyn nhw. Roedd hi'n amhosibl iddi adael ei theulu a'i wyrion.

Ar Ddydd Gŵyl Ddewi cefais wahoddiad i wneud cyfweliad ar ABC Radio yn Perth. Roedd yn rhaid gadael Rockingham yn gynnar, rhyw chwech o'r gloch y bore, er mwyn cyrraedd y stiwdio erbyn saith. Rhoddodd Emlyn ei gitâr yn y bŵt a bant â ni i gwrdd ag Eoin Cameron, y DJ oedd yn rhedeg y *Breakfast Show*. Wrth i ni deithio i'r stiwdio yng nghar Clive a Mairwen, roedd y radio ymlaen a dyna lle roedden ni'n clywed Eoin Cameron yn cyhoeddi, 'We have a special guest on the programme, she's come all the way from Wales, Gwenda Owen.' Roedd ei acen Awstralaidd gref a'i lais dwfn yn groesawgar ac yn gynnes. Roedd Emlyn a fi'n chwerthin yng nghefn y car a Clive yn dweud, 'Hei, maen nhw'n aros amdanat ti!'

Ymhen hanner awr roedd y ddau ohonon ni yn y stiwdio, Emlyn i chwarae'r gitâr a fi i ganu, ar ôl y cyfweliad. Cefais dipyn o gyfle i sgwrsio ac i ddysgu

Yn stiwdio Eoin Cameron, ABC Radio, Perth.

peth Cymraeg i'r cyflwynydd. Roedd wedi clywed am Llanfair PG ac fe fu'n rhaid i mi ddweud yr enw llawn wrtho fe cyn canu'r gân. Roeddwn wedi dewis canu 'Gyda Ti'. Roedd yn brofiad hyfryd i gael darlledu a chanu ar y radio yn Awstralia, ac o ganlyniad fe ddaeth sawl galwad ffôn i ABC y bore hwnnw yn gofyn i mi ddod i ganu mewn cyngherddau eraill yn Awstralia. Roedden nhw wedi dwlu ar y canu Cymraeg, ond roedd 'da fi ddigon o gyngherddau wedi'u trefnu'n barod heb eisiau ychwanegu mwy. Roedd hi bron yn wyth o'r gloch wrth i ni ddod o'r stiwdio, yn rhy gynnar i ddal caffi ar agor, felly fe aethom i'r Casino i gael brecwast – roedd hwnnw ar agor ddydd a nos. Sdim casino gyda ni ym Mhontyberem, felly roedd hwn yn brofiad hollol newydd! Roedd e'n lle anferth a hyd yn oed yr adeg honno o'r dydd roedd pobl yn chwarae wrth y byrddau a'r *one-arm bandits* – a bandits ydyn nhw hefyd! Wrth i ni gerdded drwy'r casino roedd 'na dractor bach a threilar yn gyrru lan a lawr yn ôl ac ymlaen yn gwagio'r arian o'r peiriannau, a saith neu wyth o *security guards* yn ei hebrwng. Fe brynon ni *chips* i whare ambell gêm, a digon yw dweud fod Emlyn a fi wedi cerdded mas o 'na gydag elw – dim lot, ond roedd e'n elw, serch hynny.

Y noson honno roeddwn i'n canu yng nghyngerdd Dydd Gŵyl Ddewi Cymdeithas Gymraeg Perth. Roedd yn llawn o bobl o bob oedran, a phawb â rhyw gysylltiad â Chymru. Roeddwn i fod i ganu ar ôl y cinio ac fe gefais i groeso ardderchog; roedden nhw'n gynulleidfa arbennig a phawb wrth eu bodd yn clywed canu Cymraeg. Roedd rhai yno oedd wedi ymfudo i Awstralia ers blynyddoedd er mwyn dechrau bywyd newydd a magu teulu. Roeddwn i'n eu hedmygu nhw mewn ffordd, gan fy mod yn gwybod na fyddwn i byth yn gallu gwneud hynny – mae fy ngwreiddiau i'n llawer rhy ddwfn ym mhridd Cymru fach! Roeddwn yn teimlo'n hiraethus y noson honno ymhlith y Cymry, yn eu gweld nhw'n mwynhau ac yn clywed y Gymraeg.

Mae Awstralia'n lle arbennig ac roedd yn agoriad llygad i gael ymweld â'r wlad. Rwyf wedi derbyn sawl gwahoddiad i fynd 'nôl i ganu yno eto, ac fe fyddaf yn siŵr o wneud hynny cyn bo hir.

Hysbyseb o Awstralia.

197

Roedd yn rhaid dod yn ôl yn weddol o Awstralia gan fod Cwmni Sain wedi gofyn i Geinor a minnau ganu mewn cyngerdd a drefnwyd ganddyn nhw yn Theatr Llandudno. Roedd Emlyn a finnau'n glanio yn Heathrow ar fore dydd Mercher ar ôl taith o ryw bedair awr ar hugain ar yr awyren, ac roedd y gyngerdd i'w chynnal yn Llandudno y noson ganlynol. Dyna oedd *jet lag* a *car lag*! O'n i ddim yn gwybod a oeddwn i'n mynd neu'n dod ond fe aeth y gyngerdd yn dda iawn er iddo gymryd sawl diwrnod cyn i mi allu dod o hyd i fy nhraed yn iawn.

Ar ôl fy salwch roedd 'na ddechre newydd yn fy nisgwyl i yn y maes cyflwyno hefyd, ar y radio a'r teledu. Roeddwn eisoes wedi derbyn gwahoddiad i gyflwyno cyfres o raglenni, *Cwrdd â'r Teulu*, ar Radio Cymru. Llinos Wyn, o BBC Bangor, oedd yn cynhyrchu'r gyfres ac fe aeth y ddwy ohonom ar grwydr hyfryd drwy Gymru gyfan er mwyn ymweld â theuluoedd oedd yn rhedeg busnesau amrywiol. Roedd yn gyfres ddiddorol i'w gwneud ac yn rhoi amlygrwydd i fusnesau teuluol amrywiol a gwahanol: cwmni bysys yng Nghaernarfon, siop ddillad dynion yn Rhuthun, garej ceir Gravell's yng Nghydweli. Roedd gan bawb stori wahanol a gwreiddiol i'w rhannu. Rwy'n cofio bod yn garej Gravell's yng Nghydweli drwy'r bore yn cynnal cyfweliadau ac yn cael hanes y busnes. Wrth i mi ddweud diolch wrth David Gravell, y perchennog, fe ddywedodd e gyda gwên fawr ar ei wyneb, 'Mae'n bryd i ti newid dy gar nawr!' Dyna i chi ddyn busnes, a dyna sut mae'r cwmni wedi llwyddo mor rhyfeddol dros y blynyddoedd.

Daeth cyfle newydd hefyd i weithio fel cyflwyn-wraig ar y gyfres *Diolch o Galon*. Wrth i mi ysgrifennu hwn, mae'r ail gyfres newydd orffen ar S4C, ac mae wedi bod yn bleser cael bod yn rhan o'r cynhyrchiad llwyddiannus. Teledu Tonfedd oedd yn gyfrifol amdano, a Hefin a Marian Elis yn cynhyrchu, ac roedd hi'n bleser cael gweithio gyda nhw eto. Fi gafodd y gwaith o ymweld ag elusennau gwahanol oedd i'w cynnwys, un ymhob rhaglen. Roedd yn hyfryd gweld y gwaith elusennol dwys sy'n digwydd ar draws ein gwlad, a hynny yn nwylo medrus a diogel pobl ymroddedig tu hwnt. Bwriad y gyfres, wrth gwrs, yw dweud diolch wrth bobl sydd wedi cynorthwyo eraill ar eu taith drwy fywyd. Mae'n rhaglen gynnes a llawen sy'n ymweld â phobl yn eu cymunedau ac yn tanlinellu cyfraniad rhyfeddol pobl gyffredin – ac yn dangos yn glir iawn nad pobl gyffredin ydyn nhw, ond pobl anghyffredin o ran eu hymroddiad a'u cymwyn-asgarwch. Roeddwn i'n cloi pob rhaglen gyda chân oedd yn berthnasol i waith yr elusen yr wythnos arbennig honno, neu i naws a chyfeiriad y rhaglen, a dyna brofiad hyfryd oedd cael gweithio ar raglen sy'n canmol y pethau gorau mewn pobl a chymdeithas.

Roedd Awst 3, 2002, yn ddiwrnod arbennig ym mywyd Emlyn a minnau. Dyna ddiwrnod ein dyweddïad ni, diwrnod hapus i'r ddau ohonom a diwrnod o ddathlu i'r teulu cyfan. Roeddwn i'n teimlo

Fi yn perfformio ar *Diolch o Galon.*

fod popeth erbyn hyn yn newydd, a 'mod i mor hapus a ffodus i gael dyweddïo gydag Emlyn. Mae'n gymar hyfryd ac annwyl iawn, ac mae pawb yn ffrind iddo fe.

Mae gan Emlyn dri chrwt, sef Peredur, Gwydion ac Ynyr, ac erbyn hyn mae llond tŷ yng Nghapel Ifan. Gan ein bod yn deulu o saith erbyn hyn, mae 'na lawer o sbri i'w gael, maen nhw i gyd yn dod yn ôl a'u storïau gwahanol wrth i ni eu casglu bob dydd o'r ysgol, ac mae Gari a Peredur wrth eu bodd yn drymio. Fe fyddwn yn cael sesiwn ganu fawr yn aml, pawb ag offeryn a phawb yn pitshio i mewn. Diolch byth ein bod yn byw yn ddigon pell bant o'n cymdogion – rydyn ni'n swnllyd braidd!

Mae'r plant yn garreg ateb da iawn. Pan fydd Emlyn neu fi wedi cyfansoddi rhywbeth fe fyddwn ni'n gwybod yn syth a yw e'n llwyddiant neu beidio gan fod un ohonyn nhw'n siŵr o ddweud rhywbeth, naill ffordd neu'r llall. Mae Ynyr yn hoff iawn o ganu, ac yn ddiweddar, tra 'mod i'n trio cyfansoddi ar y

Emlyn a fi.

Linda, Deris, fi,
Mam a Dad.

Y dynion yn fy mywyd –
o'r chwith: Gwydion, Emlyn, Ynyr,
Peredur a Gari.

Teulu bach Capel Ifan.

Ynyr, Geinor, Gari, Peredur a Gwydion yn dathlu pen-blwydd
Geinor yn ddeunaw.

gitâr ar gyfer sioe gerdd *Tywysog y Trefi 'Fale,* roedd e'n eistedd ar lawr y stiwdio yn chwarae gyda rhyw degan. Yn sydyn, ynghanol ei chwarae, dyma Ynyr yn dechrau canu'r gytgan o'n i newydd ei chwarae ar y gitâr. Roeddwn yn gwybod ar ôl hynny y bydde'r gân yn iawn! Dyw hi ddim bob amser yn rhwydd pan ddaw plant at ei gilydd mewn sefyllfa newydd, ond maen nhw i gyd yn dwlu ar ei gilydd ac mae hynny'n gwneud Emlyn a fi yn hapus. Mae un bob amser yn barod i sefyll lan dros y llall, yn gofalu am ei gilydd; gallech feddwl eu bod yn nabod ei gilydd erioed. Cawson ni gyfle fel teulu i recordio rhaglen Calan Gaea gyda Dudley rhyw flwyddyn yn ôl bellach. Daeth e draw i baratoi bwydydd Calan Gaea ar gyfer parti, ac fe gawson ni amser ardderchog. 'Clau'r beudy mas a'i lenwi â bêls a *pumpkins* ac adeiladu coelcerth yn yr ardd a'i llosgi, a daeth rhyw dri deg o deulu a ffrindiau draw i fwynhau'r parti – a bwyd ardderchog Dudley, wrth gwrs.

Dyma oes y cyfrifiaduron ac mae'n rhaid cadw lan gyda'r dechnoleg newydd. Mae Terwyn Davies, sy'n cyflwyno ar Radio Cymru, yn ffrind annwyl ac ef sy wedi bod yn gyfrifol am osod safle i ni ar y We. Mae hynny wedi bod yn gam ymlaen ac yn gyfle i gysylltu â phobl ar draws y byd. Mae 'na bobl yn ymweld â ni'n gyson ar y safle ac mae'n bleser derbyn eu sylwadau a'u cymeradwyaeth.

Mae'r ddwy flynedd ers i ni ryddhau *Gyda Ti* wedi carlamu heibio ac mae'r cyfnod ers y salwch wedi dod â sawl dechreuad newydd. Wrth i mi ysgrifennu hwn, rydym yn fishi yn y stiwdio yn recordio CD newydd a'i alw y tro hwn yn *Mae'r olwyn yn troi*. Mae 'na gân ar y CD o'r un enw, ac rwyf wedi ei chyflwyno i Dr Joannides. Gyda thristwch mawr y clywsom beth amser yn ôl ei fod wedi cael *brain haemorrhage* a dioddef strôc ddifrifol wrth dderbyn llawdriniaeth. Er hynny, mae'n ymladd ei ffordd yn ôl. Mae hynny mor nodweddiadol ohono; mae e wedi ysbrydoli shwd gymaint ohonon ni i feddwl yn bositif ac i ymladd yn galed, a nawr mae e'n wynebu'r un frwydr. Mae bywyd yn rhyfedd, ac mae'n rhyfedd hefyd sut mae'r olwyn yn troi. Rwy'n colli ei weld e wrth ei waith, ac yn edrych ymlaen iddo wella.

MAE'R OLWYN YN TROI

Fe gerddwn mor fregus, mae'r llinell mor frau
Rhwng hawddfyd a hindda, cystudd a gwae,
Heb rybudd na rheswm diflannodd yr haf,
Troi cryfder yn wendid, troi'r meddyg yn glaf.

Cytgan

O mae'r olwyn yn troi, ac mae'n digwydd o hyd,
Yn llethu ein llwybrau, yn newid ein byd,
Ond beth bynnag a fu, sdim noson mor ddu
Na allwn drwy ymladd ei threchu hi.

Mae ymdrech a brwydr lle bu dawn i iacháu,
Lle bu bywyd a golau, mae'r llygaid yn cau,
Dy ddoniau yn ddistaw, dy allu yn fud,
I'w clywed nhw eto, fe roddwn y byd.

204

Mae'r gwendid a'r gofid yn dangos mor glir,
Ond mae'r ysbryd yn aros mor gadarn â'r dur.

Os oes tegwch a haeddiant daw gwella i ti,
A bywyd o'r newydd i'r dyn wellodd fi.

Mae digon o amrywiaeth i siwtio pawb ar y CD newydd, ac mae e wedi mynd â fi i gyfeiriadau newydd. Mae'r amseru wedi golygu ein bod wedi gallu cynnwys cân a gyfansoddodd Emlyn sy'n sôn am frwydr Llangyndeyrn, a hynny ym mlwyddyn dathlu deugain mlynedd ers dechrau'r frwydr arbennig honno.

Clawr CD *Mae'r Olwyn yn Troi*.

COFIO LLANGYNDEYRN

Rywbryd 'nôl yn chwe deg tri
Daeth cynllun i foddi'n tiroedd ni,
Boddi ymhell dros fil o erwe
I ddisychedu Abertawe.

Gosod gwyliwr ar y tŵr,
Cwm Gwendraeth yn sefyll fel un gŵr,
Pawb yn cwrdd ar sgwâr y Llandre
I wrthwynebu Abertawe.

Cytgan

Ildio modfedd, colli troedfedd, colli ffydd;
Neb yn gwyro, pawb yn brwydro, cario'r dydd.

Yn ôl y sôn fe gafwyd stŵr
Pan ddaeth Jones a'r Sais i desto'r dŵr;
Cael ei hel o Allt-y-Cadno
A gât Glan-yr-ynys wedi'i glwydo.

Mae'r garreg a godwyd ar y sgwâr
Yn deyrnged i ddewrder pobol wâr,
Hawl egwyddor a chydwybod,
Profi'r nerth a ddaw trwy undod.

Felly, mae bywyd yn mynd yn ei flaen, ac ydy, mae'r olwyn yn troi. Mae wedi bod yn brofiad rhyfedd i edrych yn ôl ar fy mywyd fel hyn a cheisio cofnodi'r prif ddigwyddiadau a'r troeon ar hyd y daith. Mae rhai o'r troeon hynny wedi bod yn rhai digon dyrys ac wedi mynd â mi i lefydd tywyll. Bu'r profiad o geisio'i ail-greu a'i osod mewn geiriau yn boenus ar adegau, ond mae e wedi bod yn bleser hefyd, ac yn fodd i ddeffro atgofion hapus a melys. A dyna'r daith sydd wedi dod â mi i'r fan hon. Trwy gymysgedd ryfedd o ras, ymroddiad a gofal, rwy'n gallu dathlu pob dydd newydd 'wy'n ei gael, a gwneud yn fawr o bob cyfle a ddaw wrth edrych ymlaen i'r dyfodol. Rwy'n gwneud hynny'n hyderus gan wybod, fel mae'r gân yn ei ddweud, fod y gorau eto i ddod. Ymlaen â'r gân.

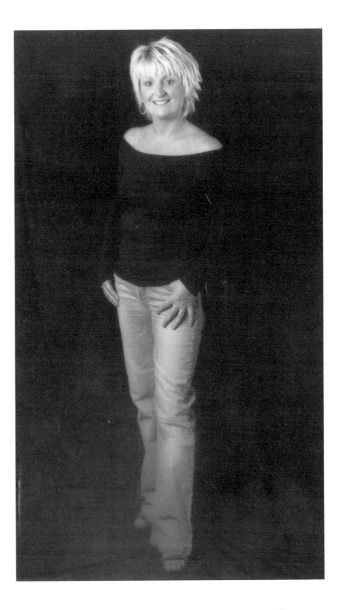